De helende kracht van de
Slaap

Sheila Lavery

TIRION·BAARN

Ontwerp:	Phil Gamble	Vertaling	Vivienne de Jongh
Illustraties:	Tilney Kirkbride	Eindredactie	Hennie Franssen-
	Rosemary Woods		Seebregts
Fotografie:	Andy Rumball	Uitgever	Henk J. Schuurmans
Art director:	Patrick Nugent		
Consultants:	Dr Jacob Empson		
	Dr Ronald Chisholm		

© MCMCXVII Gaia Books Limited, Londen
© Van de Engelse tekst: MCMXCVII Sheila Lavery
© Voor de Nederlandse taal: MCMXCVII
Uitgeversmaatschappij Tirion, Baarn

Dit boek is gepubliceerd door
BV Uitgeversmaatschappij Tirion
Postbus 309
3740 AH Baarn

ISBN 90.5121.696.3
Nugi 735

Het is niet de bedoeling dat dit boek de behandeling van een arts vervangt. Raadpleeg uw arts
voor u stappen neemt die van invloed kunnen
zijn op uw gezondheid.

Inhoud

Woord vooraf

Geen papaver, geen alruin,
nee, geen slaapverwekkende siroop ter wereld,
zal jou ooit weer de zoete slaap schenken
die je tot nog toe genoot

William Shakespeare
(1564-1616)

Zo sprak Shakespeare in 'Othello', maar een zoete slaap komt niet altijd zo vanzelfsprekend en voor een aantal ongelukkigen zelfs bijna nooit. Waarom slapen wij? Het juiste antwoord is nog steeds: om slaperigheid te voorkomen. Dit geeft niet alleen aan hoe beperkt onze wetenschappelijke kennis van de slaap nog is, maar ook hoe belangrijk het is dat we er zelf gezonde slaapgewoonten op na houden. Slecht slapen houdt, behalve met slaperigheid overdag, ook verband met een slechte gezondheid. Mensen die minder dan zes uur per nacht slapen, hebben gemiddeld een kortere levensduur dan mensen die meestal een langere nachtrust genieten.

Men heeft ook al lang het vermoeden dat slaap zeer belangrijk is voor het immuunsysteem, en dat gebrek aan slaap dus kan leiden tot een verhoogde ontvankelijkheid voor infecties. Daarbij komt nog dat slaapstoornissen een enorme invloed op de kwaliteit van ons leven hebben. Miljoenen mensen brengen een groot deel van hun leven door in een staat van voortdurende vermoeidheid en slaperigheid, van de duizenden uitgeputte arbeiders in ploegendiensten die moeten werken wanneer de hersenen eigenlijk op slapen zijn ingesteld, degene die in het verkeer het gevecht om wakker te blijven verloren heeft, tot aan het slaperige kind toe dat voor de zoveelste keer faalt op school.

Dat een mens zich goed voelt na een goede nachtrust is duidelijk, maar helaas behoren slaapproblemen tot de meest voorkomende medische klachten. Eén derde van ons heeft er wel eens mee te maken en voor nog eens een derde tot de helft van deze mensen is het een zeer ernstig probleem. Meer dan vijf procent van de bevolking loopt overdag uitgesproken slaperig rond. Daarbij komen dan nog de nachtmerries en andere vormen van verstoring van de slaap zoals snurken of buitensporig veel bewegen, die velen van ons slecht doen slapen.

Gegeven het feit dat, door gebrek aan goede slaap, zo velen van ons minder goed functioneren, is het verwonderlijk dat het zo moeilijk is betrouwbare informatie over slapen te krijgen. Het onderwijsprogramma bij de medische opleidingen besteedt slechts enkele uren aan de slaap en de bijbehorende stoornissen. Dan is het ook geen wonder dat medici vaak totaal niet weten hoe zij slaapproblemen moeten aanpakken en is er des te meer reden voor ons

allen om ons goed te informeren over het belang en de mogelijkheden van een goede nachtrust. Dit boek gééft die essentiële informatie. Van uitleg over het fysiologisch karakter van de slaap en de betekenis van dromen tot het zelf behandelen van slapeloosheid en snurken. U krijgt verstandig advies over slaaphygiëne, werken in ploegendiensten en jetlags, met daarnaast een volledige lijst van goede alternatieve hulpmiddelen om slaapstoornissen te verhelpen.

Er zijn vele inzichten over slapen en dromen en ze verschillen van cultuur tot cultuur, maar men is het er wel over eens dat goed en diep slapen een wezenlijk deel uitmaakt van een gezond leven. Dit veelomvattende en goed leesbare verslag zal de lezer zeker helpen de helende werking van de natuur tot zijn voordeel te leren gebruiken.

Dr. Adrian Williams,
Directeur van het Centrum voor
slaapstoornissen van het Guy's and
St Thomas's Hospital in Londen.

Inleiding

'...dromen maken deel uit van de natuur, die er niet op uit is te misleiden maar iets zo goed mogelijk uit te drukken, net als een plant die groeit of een dier dat op zoek is naar voedsel...'

Carl G. Jung
(1875-1961)

Slapen wordt wel gedefinieerd als 'een natuurlijke staat van betrekkelijke bewuste-
loosheid en onbeweeglijkheid die zowel bij
mens als dier ten minste één keer per dag optreedt.' De bondigheid van deze definitie
geeft weer hoe weinig aandacht de meesten
van ons schenken aan een activiteit die niet
alleen een derde deel van ons leven in beslag
neemt maar ook onze geestelijke, emotionele
en lichamelijke gezondheid zo diepgaand
beïnvloedt. We beschouwen de slaap slechts
als een periode van rust die de activiteiten in
ons leven telkens onderbreekt. We markeren
het eind van de dag door naar bed te gaan,
zetten daarbij de problemen en pleziertjes
van die dag van ons af en, als we goed slapen,
worden we weer verkwikt wakker en zijn we

klaar om ons bewuste bestaan weer op te
pakken. En alleen als we slecht slapen of al te
levendig dromen, denken we wat langer na
over hoe de nacht verliep. Men schrijft aan
de filosoof Bertrand Russell het volgende ge-
zegde toe: 'Net als mensen die slecht slapen
zijn mensen die ongelukkig zijn altijd trots
op dat feit.' En inderdaad zullen mensen die
slecht slapen je dat ook altijd vertellen, maar
dat doen ze wellicht omdat ze dat eerder als
onnatuurlijk, frustrerend en zwaar ervaren
dan als een bron van trots. Goed slapen
wordt vaak als vanzelfsprekend beschouwd,
maar slecht slapen kan tot een obsessie worden. Het aantal verenigingen van mensen
met slaapstoornissen, het aantal publicaties
erover en de zelf-hulpgroepen die overal ter

wereld in het leven geroepen zijn, bewijzen wel dat gebrek aan slaap een ernstig probleem is. Dankzij het werk van psychiaters, psychologen en fysiologen in diverse slaaplaboratoria weten we ongeveer wat er tijdens de slaap gebeurt, maar ondanks diepgaand onderzoek hebben we nog steeds geen duidelijk antwoord op fundamentele vragen als waarom wij een goede slaap zo nodig hebben en hoe belangrijk het is voor onze gezondheid en ons geluk.

We hebben geen wetenschappelijk onderzoek nodig om te weten dat we uitgeput zijn na een grondig verstoorde nacht en dat een serie van zulke nachten achtereen ons tot wanhoop kan drijven. Maar er is wél onderzoek nodig om te bewijzen dat slaap onontbeerlijk is voor een gezond immuunsysteem, een goede geestelijke gezondheid en voor de groei en het herstel van iedere lichaamscel.

De wetenschap én de natuur zijn hierbij onze grote leermeesters, en de adviezen in dit boek zijn dan ook van beide afkomstig. Ze zijn gebaseerd op het werk van slaapspecialisten en 'natuur'genezers die weten dat slaapproblemen meestal voortkomen uit onze manier van leven en dus ook via die weg behandeld moeten worden. Doel van dit boek is slaapstoornissen en hun oorzaken te onderzoeken en u zo in staat te stellen de factoren die de basis vormen van uw speciale probleem te herkennen. Ook worden er adviezen gegeven voor uw manier van leven zodat u de kwaliteit van uw nachtrust en dus van uw gezondheid kunt verhogen.

Ieder van ons heeft zo zijn individuele slaapbehoefte en wordt door specifieke factoren tijdens die slaap beïnvloed. De vragenlijsten op de volgende bladzijden zijn bedoeld als hulpmiddel, u kunt er de aard van uw speciale probleem mee vaststellen, vooropgesteld dat u een dergelijk probleem heeft. Door eerlijk antwoord te geven op de vragen, moet u in staat zijn uw slaapbehoefte te bepalen en de belangrijkste factoren die uw slaap belemmeren te herkennen.

In de daaropvolgende hoofdstukken wordt nagegaan hoe het slaapproces verloopt, en wat voor functie dat heeft. Ook worden talrijke adviezen gegeven voor een betere en vooral voor een natuurlijk verlopende nachtrust. Onthoud goed dat een gezonde nachtrust binnen ieders bereik ligt: er zijn heus geen toverpillen of drankjes voor nodig, alleen maar wat tijd en aandacht. Blijf volhardend zoeken naar een goed en gezond slaappatroon; wat u erin investeert is heel weinig, vergeleken bij wat u ermee wint: een verbeterde fysieke, emotionele en geestelijke gezondheid.

Vragenlijst

Analyseer uw probleem

Met deze korte vragenlijstjes kunt u nagaan of u een slaapprobleem hebt en zo ja, wat de waarschijnlijke oorzaak daarvan is. In het onwaarschijnlijke geval dat u na het lezen van deze vragenlijstjes niets hebt gevonden dat op u van toepassing is, moet u uzelf afvragen of u werkelijk een slaapprobleem hebt of dat u alleen irreële verwachtingen hebt. Misschien bent u een lichte slaper, hebt u maar weinig slaap nodig of misschien gaat u gewoon te vroeg naar bed. Het kan nuttig zijn bij te houden hoe laat u naar bed gaat, hoe laat u opstaat en hoeveel uur u werkelijk slaapt. Zo'n slaapdagboek dat u ongeveer twee à drie weken bijhoudt, kan vaak veel inzicht in de problemen geven.

1 HEBT U EEN SLAAPPROBLEEM?

	Ja	Nee
Hebt u moeite in slaap te komen?	A	B
Wordt u 's nachts vaak wakker?	A	B
Zo ja, hebt u dan moeite weer in slaap te komen?	A	B
Wordt u vaak heel vroeg wakker en bent u dan niet meer in staat in te slapen?	A	B
Wordt u vaak vermoeid wakker?	C	D
Bent u overdag moe of slaperig?	C	D
Bent u ontevreden over het aantal uren dat u slaapt?	C	D

Een of meer C's

Het ziet ernaar uit dat u een slaapprobleem hebt dat van invloed is op uw gezondheid en geluk, en mogelijk ook op uw werkprestaties. Gebruik het tweede vragenlijstje om vast te stellen of een verstoord ritme de oorzaak kan zijn.

Een of meer A's, drie D's

U lijkt een wat onregelmatig slaappatroon te hebben, dat echter op dit moment geen nadelig effect op uw gezondheid heeft. Het tweede vragenlijstje kan u helpen de oorzaak te ontdekken.

Vier B's, drie D's

U schijnt een goede slaper te zijn. Ook al wordt uw slaap nu en dan verstoord, het heeft geen invloed op uw geestelijke of lichamelijke gezondheid of op uw werkprestaties. Als u goed in staat bent te werken en u zich goed blijft voelen, hoeft u zich over zo'n toevallig verstoorde nachtrust geen zorgen te maken.

2 WORDT UW SLAAPPROBLEEM VEROORZAAKT DOOR EEN VERSTOORD RITME?

Gaat u naar bed ook al bent u nog niet moe?	Ja/Nee
Slaapt u vaak uit om verloren slaap in te halen?	Ja/Nee
Gaat u op onregelmatige tijden naar bed?	Ja/Nee
Hebt u nachtdienst?	Ja/Nee
Doet u dutjes overdag?	Ja/Nee
Slaapt u het weekeinde uit?	Ja/Nee
Hebt u een baby die 's nachts wel eens wakker wordt?	Ja/Nee
Overschrijdt u meer dan één keer per maand een tijdzone?	Ja/Nee

Een of meer ja's

Gebrek aan regelmaat is waarschijnlijk de belangrijkste oorzaak van vermoeidheid en niet-verkwikt wakker worden. Lees hoofdstuk 5 voor informatie over het belang van regelmaat en hoe gebrek eraan te compenseren.

Alle antwoorden nee

Uw slaapproblemen kunnen waarschijnlijk niet aan een verstoord ritme worden toegeschreven. U lijkt op regelmatige tijden naar bed te gaan, dus ligt de oorzaak elders. Misschien heeft het met uw gezondheidstoestand of uw manier van leven te maken. Probeer dit uit te vinden aan de hand van het derde vragenlijstje.

3 ZIJN GEZONDHEIDSPROBLEMEN VAN INVLOED OP UW SLAAP?

Weegt u te veel?	Ja/Nee
Drinkt u veel - meer dan 28 (mannen) of 21 (vrouwen) drankjes per week?	Ja/Nee
Hebt u 's nachts pijn?	Ja/Nee
Bent u chronisch of ernstig ziek?	Ja/Nee
Wordt u 's nachts wel eens naar adem snakkend wakker?	Ja/Nee
Gebruikt u medicijnen?	Ja/Nee
Hebt u wel eens te horen gekregen dat u hard snurkt?	Ja/Nee

Een of meer ja's

Waarschijnlijk dragen gezondheidsproblemen bij tot uw slaapstoornissen. Bespreek uw slaapprobleem en eventuele andere gezondheidsvraagstukken met uw dokter.

Alle antwoorden nee

Uw lichamelijke gezondheid is kennelijk goed en is duidelijk niet de oorzaak van uw slaapproblemen. Waarschijnlijk is uw levensstijl en/of emotionele toestand van invloed op uw slaap. Zie vragenlijst 4.

4 ZIET UW DAG ER SLAAP-VRIENDELIJK UIT?

Neemt u regelmatig lichaamsbeweging?	Ja/Nee
Drinkt u minder dan drie koppen koffie per dag?	Ja/Nee
Drinkt u minder dan twee alcoholische drankjes op een dag?	Ja/Nee
Vermijdt u zware maaltijden op de late avond?	Ja/Nee
Bent u een niet-roker?	Ja/Nee
Kunt u uw zorgen op het werk bij thuiskomst van u afzetten?	Ja/Nee
Gunt u uzelf de tijd te ontspannen vóór het naar bed gaan?	Ja/Nee

Een of meer nee's

Waarschijnlijk draagt uw dagelijkse routine bij tot uw slaapprobleem. U moet wat veranderingen aanbrengen, maar niet te veel ineens. Zie hoofdstuk 5 en 8.

Alle antwoorden ja

Als u een slaapprobleem hebt wordt het waarschijnlijk niet door uw levensstijl veroorzaakt. Als uw gezondheid goed is en u houdt er een vaste bedtijdroutine op na, kan het een emotioneel probleem zijn. Zie vragenlijstje 5.

5 IS ER SPRAKE VAN EMOTIONELE SPANNINGEN?

Hebt u het gevoel dat u uw werk niet aankunt?	Ja/Nee
Hebt u financiële zorgen?	Ja/Nee
Hebt u problemen in uw belangrijkste relatie?	Ja/Nee
Is u onlangs iemand ontvallen?	Ja/Nee
Is er ziekte in de familie?	Ja/Nee
Maakt u zich zorgen over uw kinderen?	Ja/Nee
Bent u terneergeslagen en onzeker?	Ja/Nee
Bent u constant nerveus?	Ja/Nee

Een of meer ja's

Waarschijnlijk houdt emotionele spanning u 's nachts wakker. Verdriet, depressie en angst veroorzaken vaak slaapstoornissen. Zie hoofdstuk 5 en 6 voor informatie en advies.

Alle antwoorden nee

Als uw antwoord op alle bovenstaande vragen 'nee' luidt, hebt u waarschijnlijk geen ernstig of chronisch slaapprobleem. Als u desondanks het gevoel hebt dat u graag beter zou slapen, ligt het misschien aan uw slaapkamer of uw bed. Zie vragenlijst 6.

6 ZIJN DE OMSTANDIGHEDEN IN UW SLAAPKAMER OPTIMAAL?

Is uw slaapkamer afgescheiden van uw leef/werkruimte?	Ja/Nee
Hebt u een rustige slaapkamer?	Ja/Nee
Is uw slaapkamer warm (niet bedompt)?	Ja/Nee
Is uw bed wel comfortabel?	Ja/Nee
Is uw slaapkamer ook 's ochtends nog donker?	Ja/Nee
Is er geen televisie in uw slaapkamer?	Ja/Nee
Voelt u zich prettig in uw slaapkamer?	Ja/Nee
Heeft de kleur van de kamer een ontspannende werking op u?	Ja/Nee

Niet meer dan één nee

Uw slaapkamer is waarschijnlijk bevorderlijk voor een goede nachtrust, hoewel ieder negatief antwoord ruimte voor verbetering laat. Een verstoorde nachtrust kan aan een ander aspect van uw gezondheid of uw manier van leven liggen.

Twee of meer nee's

U zou een paar veranderingen in uw slaapkamer moeten aanbrengen. In hoofdstuk 9 vindt u hierover allerlei informatie.

DEEL EEN

Het wezen van de slaap

Door slaap en duisternis heen weer veilig
terug in het leven, kracht en denken hersteld

John Keble
1792-1866

Hoofdstuk 1

Het herstel van het heel zijn

Gezegend zij hij die de slaap heeft uitgevonden, de mantel die alle menselijke gedachten bedekt, het voedsel dat honger stilt, de drank die dorst lest, het vuur dat koude verwarmt, de kou die hitte tempert, en ten slotte, het gemeengoed waarvoor alles te koop is, de weegschaal en het gewicht dat schaapherder en koning, zot en wijze, gelijkmaakt.

Miguel de Cervantes
(1547-1616)

Slapen is even natuurlijk en onontbeerlijk als eten. De meeste mensen slapen iedere 24 uur in ieder geval een korte tijd, en degene die echt nooit slaapt moet nog geboren worden. Hoewel niemand zeker weet op welke wijze de slaap onze gezondheid bevordert, wordt algemeen aangenomen dát hij dat doet. Er zijn ook aanwijzingen dat het omgekeerde geldt: gebrek aan slaap doet ons minder goed functioneren. Een heleboel fysiologische en psychologische aanwijzingen duiden erop dat er een aantal mogelijke mechanismen is waarmee de slaap ervoor zorgt dat wij ons goed voelen. Laboratoriumexperimenten van de laatste honderd jaar wijzen erop dat dieren zoals ratten en honden sterven als zij niet meer mogen slapen - hoe jonger het dier hoe kwetsbaarder het is. Maar we moeten nog zien of slapeloosheid bij mensen even fataal kan zijn. Wat we wél weten is dat zelfs een marginaal gebrek aan slaap maakt dat wij ons ondermaats voelen en daar ook naar presteren, en dat een chronisch gebrek aan slaap de groei belemmert, onze vatbaarheid voor infecties verhoogt, en ons vermogen tot concentreren en het nemen van ingewikkelde beslissingen nadelig beïnvloedt.

Slapen is voornamelijk een natuurlijke reactie op vermoeidheid. De activiteit van het lichaam wordt op een lager pitje gezet en lichaam en geest kunnen tot rust komen. Maar echt slapen geeft ons een kwalitatief andere onderbreking dan wanneer we alleen maar rusten zonder te slapen. Uit onderzoek van de laatste tientallen jaren is gebleken dat er tijdens de slaap een hele reeks fysiologische processen plaatsvindt, maar terwijl de invloed van een aantal van deze veranderingen op de gezondheid duidelijk is, blijven doel en effect van de meeste van deze processen nog steeds een mysterie. Dit is dan ook onderwerp van veel wetenschappelijke en filosofische speculatie.

Herstellende hormonen

Gedurende de periode dat wij wakker zijn, verbrandt ons lichaam zuurstof en voedsel om ons energie te verschaffen voor onze lichamelijke en geestelijke bezigheden. Tijdens deze 'katabolische' toestand, waarin meer energie wordt gebruikt dan opgenomen, worden de lichamelijke reserves aangesproken. De werking van stimulerende hormonen - voornamelijk adrenaline (epinefrine) en natuurlijke corticosteroïden - heeft de overhand. Tijdens de slaap daarentegen, zou je kunnen zeggen dat wij ons in een 'anabolische' toestand bevinden, waarin het opslaan van energie, herstel en groeiprocessen plaatsvindt. Het gehalte aan adrenaline en corticosteroïden - die de anabolische werking tegengaan - neemt af, en het lichaam begint groeihormonen te produceren.

Het belang van goed slapen voor de groei en een normale ontwikkeling bij kinderen staat onomstotelijk vast. Rapporten waarin aangegeven wordt dat sommige misbruikte kinderen niet goed groeien, hebben tot de veronderstelling geleid dat dit het geval is omdat zij te bang zijn om te gaan slapen. Ook zou het kunnen zijn dat zij te vaak wakker worden zodat zij niet aan de diepe slaap (waarin het groeihormoon wordt geproduceerd) toekomen. Als diezelfde kinderen in een veiliger omgeving wél goed gaan slapen, komt dat hun groei en ontwikkeling ten goede.

Het groeihormoon dient ook een belangrijk doel bij volwassenen, maar daar bevordert het niet de groei en ontwikkeling, maar stelt het het lichaam in staat tot vernieuwing en herstel. Alle weefsels in ons lichaam, van bloed- en huidcellen tot hersencellen toe, schijnen tijdens de slaap sneller vernieuwd te worden dan in welke waakperiode dan ook.

Een helende werking

Recent onderzoek schijnt het traditionele geloof te bevestigen dat wij, als we tijdens een infectieziekte maar veel slapen, we eerder genezen. Bijna iedereen is het wel eens overkomen dat hij ziek en koortsig naar bed ging en dan verfrist weer wakker werd. Buitensporige slaperigheid is een natuurlijk gevolg van bijna alle infectieziekten. Dit kan liggen aan het feit dat het immuunsysteem met een verhoogde productie van bepaalde proteïnen op de infectie reageert.

Voldoende slaap speelt mogelijk ook een rol bij onze weerstand tegen infecties. Onderzoek bij gezonde jonge volwassenen toont aan dat zelfs een matig slaaptekort het peil van de witte bloedcellen doet afnemen waardoor de effectiviteit van het verdedigingssysteem van het lichaam daalt.

Het psychologisch nut

Een aantal psychologen is ervan overtuigd dat wij ons tijdens de slaap met bepaalde emotionele vraagstukken bezighouden. Door middel van de droom, zo zeggen zij, zijn we in staat nutteloze geestelijke ballast overboord te gooien en gevoelens als boosheid en frustratie te beleven zodat deze emoties niet zó onderdrukt worden dat ze schade kunnen aanrichten.

Men gelooft dat psychosomatische ziekten (lichamelijke ziekten die een psychische oorzaak hebben) stoornissen als verhoogde bloeddruk, hoofdpijn, en maagzweren veroorzaken.

Door middel van dromen bepaalde emotionele kwesties te lijf gaan kan ons helpen te voorkomen dat onderdrukte emoties als boosheid, verdriet en jaloezie zich als lichamelijke symptomen gaan voordoen.

Slaap en opvattingen over energie

Volgens oosterse medische tradities zoals de Chinese geneeskunst en de Ayurveda uit India, bestaan wij mensen uit energie en zijn we ervoor geschapen in harmonie met het planetaire en universele krachtenspel te funtioneren. Als zodanig worden wij beheerst door de cycli van de natuur en licht en donker. Daaruit volgt dat wij, net als de rest van de natuur, 's nachts moeten rusten en ons herstellen.

De Chinese benadering

De traditionele Chinese filosofie beschouwt de mens als een schakel tussen hemel en aarde. De energieën uit hemel en aarde mengen zich binnenin ons om ons levensenergie te verschaffen. Ter wille van een goede gezondheid, moet de balans tussen hemel en aarde in ons in goede harmonie blijven. Om dit te illustreren, gebruiken de Chinezen de metafoor van *yin* en *yang* om te beschrijven hoe de energie (*qi*), die in het gehele heelal voorkomt, verdeeld is in twee tegenovergestelde krachten die elkaar toch aanvullen. Wij, en alles in de natuur, worden door deze energiekrachten geleid.

Yin en Yang
In de traditionele Chinese geneeskunst vertegenwoordigt *Yin* vrouwelijke, donkere, koele en solide kenmerken. *Yang* eigenschappen zijn tegenovergesteld: mannelijk, licht, warm en onwerkelijk. Mensen met voornamelijk *yang*-karakteristieken hebben weinig slaap nodig, terwijl *yin*-types slaperig en lusteloos zijn.

Jing in de nieren

Hun in de lever

Shen in het hart

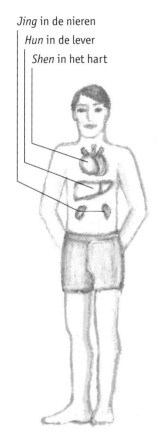

Hun, shen en *jing* tijdens de slaap

Hun zetelt in het lichaam in de lever en keert daar 's nachts terug ten behoeve van een vredige slaap. Tijdens de slaap, wordt *shen* verondersteld in het hart te zetelen en *jing* in de nieren. Dit zorgt voor harmonie voor lichaam en geest, zodat de slaap vredig is en groei en ontwikkeling kunnen plaatsvinden.

Yin en *yang* energieën beheersen ook de drie rijkdommen waaruit wij volgens de Chinese opvattingen gemaakt zijn: energie (*qi*), geest (*shen*) en essentie (*jing*). Energie is de kracht die in beweging zet, verwarmt en beschermt; zonder energie is leven niet denkbaar. *Shen* is verantwoordelijk voor het bewustzijn en de geestelijke mogelijkheden, en *jing* zorgt voor groei, ontwikkeling en voortplanting. Als de balans in het lichaam verstoord is, zoals het geval is bij ziekte of spanning, zijn tijdens de slaap *shen* en *jing* niet aanwezig, kan daarom geen groei of vernieuwing plaatsvinden en is de geest niet rustig.

De etherische ziel

Oude Chinese opvattingen van slapen en dromen houden ook het idee in van het welzijn van de etherische ziel, bekend als *hun*. De Chinezen geloven dat we meer dan één ziel hebben, en dat het daarvan de etherische ziel is die slapen en dromen beïnvloedt. *Hun* correspondeert ruwweg met het christelijke idee van ziel of geest, want het komt kort na de geboorte het lichaam binnen en vloeit terug naar de hemel als wij doodgaan. Klassieke Chinese geschriften suggereren ook dat de *hun* de geest volgt, zodat, als de geest tijdens onze slaap bewusteloos is (zoals bij diepe slaap), de *hun* 'weggevoerd wordt'. Het moderne Chinese denken, echter, beschouwt de *hun* als een ander bewustzijnsniveau, dat in verband staat met, maar toch afgescheiden is van, de geest.

En zo staan lengte en kwaliteit van de slaap in verband met de *hun*. De *hun* zetelt in de lever en komt daar 's nachts terug. Als de balans in de lever verstoord is, zwerft hij rond en zorgt dan voor een onrustige slaap en uitputtende dromen.

Men gelooft dat, tijdens de slaap, de *hun* beelden en ideeën aan de universele geest ontleent en die aan de geest van de persoon die droomt als dromen presenteert. Als er sprake is van een gezonde slaap en de *hun* vrij rond kan gaan, zullen de beelden van de universele geest ons geestelijk en spiritueel creatief en gelukkig maken. Een rusteloze *hun*, echter, verbreekt het verband tussen de individuele en de universele geest, met als gevolg dat het individu zijn creativiteit en zijn dromen verliest en verward en geïsoleerd raakt.

De Ayurveda

Het traditionele geneeskundige Ayurvedische systeem uit India is waarschijnlijk al minstens 5000 jaar oud.In dit systeem wordt het lichaam niet beschouwd als een op zichzelf staande eenheid, maar als een vibrerende energiebundel met een aangeboren intelligentie die deel uitmaakt van de constante stroom energie waaruit de natuur bestaat. Alles in de natuur, wij inbegrepen, bestaat uit drie energieën, de *dosha's*, die van vitaal belang zijn: *vata*, *pitta* en *kapha*. Elke *dosha* heeft zijn eigen eigenschappen en hoewel wij uit alle drie bestaan, is ieders lichamelijke en psychologische constitutie gebaseerd op één of twee overheersende *dosha's*. Zie het lijstje hiernaast voor de karakteristieken van de drie *dosha's*.

De natuur werkt met ritmen en cycli en ons lichaam evenzo. Volgens de Ayurveda, hangt wel of niet goed slapen af van het in harmonie zijn met de fundamentele krachten in de natuur: *dosha's* die in balans zijn geven een volmaakte gezondheid en een volmaakte slaap. Maar de *dosha's* kunnen uit balans raken door onverstandige voeding, spanningen en talrijke andere factoren, waaronder het niet in harmonie met de natuur leven.

De dosha's

Vata-mensen zijn dun, snel opgewonden, gauw moe en slapen licht en met veel onderbrekingen. Zij hebben onregelmatige slaapgewoonten en zijn geneigd tot slapeloosheid.

Pitta-mensen hebben een gemiddelde lichaamsbouw, worden boos of geïrriteerd als ze onder spanning staan, zijn geneigd 's nachts warm of dorstig wakker te worden, maar zijn doorgaans wel kwiek bij het opstaan.

Kapha-mensen zijn stevig gebouwd, kalm, liefhebbend en bewegen zich langzaam. Zij vinden het heerlijk te slapen, slapen vaak lang en vast en worden langzaam wakker.

De Ayurvedische klok

Gedurende zowel dag als nacht, beleven wij primaire en secundaire fasen, waarin óf de *vata*-, óf de *pitta*-, óf de *kapha*-energie het overwicht heeft. De Ayurveda raadt aan te gaan slapen tijdens *kapha*-tijd (van 6 tot 10 's avonds), wanneer de natuur zelf langzaam en slaperig wordt, en op te staan tijdens de actieve en energieke *vata*-tijd, te weten vóór 6 uur 's ochtends.

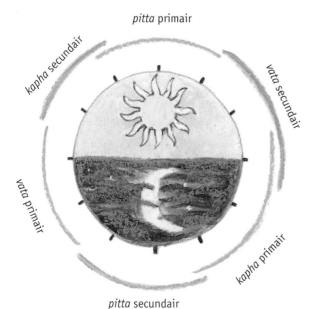

pitta primair

kapha secundair

vata secundair

vata primair

kapha primair

pitta secundair

De betekenis van dromen

Historische geschriften staan bol van de verwijzingen naar het belang dat in oude culturen gehecht werd aan slapen en dromen. In veel oude culturen zag men de slaap hetzij als een periode waarin de ziel het lichaam verliet om zich te verstaan met de geesten en de goden, hetzij als een tijdstip waarop het lichaam bezocht werd door geesten, goden of demonen. Veel vroege christelijke denkers gingen ervan uit dat God door middel van dromen zijn wil openbaarde, tot de protestantse hervormers beweerden dat het enige nut van dromen bestond uit het feit dat ze ons met onze zonden confronteerden.

Toch werden dromen niet alleen gewaardeerd om hun religieuze betekenis. In vele gemeenschappen van vroeger werden dromen met welzijn en gezondheid in verband gebracht. De oude Grieken bouwden heiligdommen voor Hypnos (de god van de slaap), waarvan vele werden gebruikt als plaatsen van genezing. Volgens de legende werden de zieken die daar kwamen door Hypnos in slaap gesust en in hun droom door Asklepios, de god van de geneeskunst, bezocht. Asklepios verschafte de zieke dromers goede raad, genezende kruiden en soms genas de zieke zelfs spontaan.

De Griekse filosoof Plato was al van mening dat dromen van psychologische betekenis konden zijn. Hippocrates, de vader van de geneeskunst, de filosoof Aristoteles en de beroemde geneesheer Galenus dachten allen dat dromen de toestand van het lichaam weergaven en daarom voor diagnose en behandeling gebruikt konden worden.

De oorspronkelijke, inheemse inwoners van Amerika geloofden dat er nauwelijks een scheiding tussen slapen en waken was, en de aborigines in Australië dachten dat het heelal uit dromen bestond. In beide culturen werd het van belang geacht om dromen met elkaar te delen en na te spelen om zo emotionele en creatieve energie vrij te laten komen. Als je dat niet deed, zou gebrek aan harmonie en ontevredenheid met het leven het gevolg zijn. Dromen werden als fundamenteel voor succes op alle levensgebieden beschouwd. Door middel van dromen verkregen de sjamanen (toverdokters of medicijnmannen) de kennis die ten behoeve van de hele stam gebruikt kon worden. Dromers riepen ook wel een bovennatuurlijk wezen, een dromengids, aan, die hen door de dromenwereld moest leiden.

In traditionele culturen werd algemeen geloofd dat tijdens de slaap de ziel of de geest zich losmaakte van de beperkingen die hem door lichaam, tijd en ruimte werden opgelegd, zodat de dromer in staat was de levenverrijkende dingen te zien, te voelen en te doen die hij overdag niet kon beleven. De onderbreking van het bewuste denken en de lichamelijke activiteit, wat zo karakteristiek is voor de slaap, werden geacht geest en lichaam vrij te maken voor de energie uit het heelal of zelfs voor goddelijke openbaringen.

Het geloof in de spirituele betekenis van slapen en dromen is nooit uitgestorven. Vele van de ideeën uit de oudheid hebben een moderne vertaling gekregen. In sommige takken van de moderne psychologie, bijvoorbeeld, zou de dromengids van de inheemse bevolking van Amerika waarschijnlijk worden gezien als een niet-onderkend aspect van het zelf, terwijl het met elkaar delen van dromen en het uitspelen ervan kan worden gezien als een voorloper van ons moderne psychodrama.

Veel mensen die overtuigd zijn van de emotionele en spirituele rijkdom van hun dromen hebben zich tot de oude overleveringen gewend, om zo te leren hoe ze met hun dromen moeten werken. In de primitieve culturen werd algemeen geloofd dat slapen en dromen een zeer reële en belangrijke rol in onze gezondheid spelen. Door te onderkennen hoezeer wij beide nodig hebben, kunnen wij leren ons geestelijk, lichamelijk en emotioneel welzijn te verhogen.

Dromen en spiritualiteit
Op deze 16de-eeuwse Perzische afbeelding is te zien hoe de slaper al dromende tot spirituele vervulling komt.

Hoofdstuk 2

Het slaap- en waakritme

Wij leven in een wereld die zich voortdurend ontwikkelt en verandert. Maar sinds het ontstaan van de wereld is één natuurverschijnsel steeds even voorspelbaar gebleven: dat de nacht volgt op de dag. We kunnen er zeker van zijn dat er in een cyclus van 24 uur zowel een periode van licht als van duisternis is.

Mensen en dieren hebben een ingebouwde klok in hun lichaam die een aantal verschillende fysiologische processen bestuurt en die parallel loopt aan de dagelijkse, externe ritmen. In oeroude tijden bleven we dan ook wakker en actief tijdens perioden van licht en warmte en gingen we rusten tijdens de koelte van de nacht. Nu wij elektrisch licht hebben, worden onze actieve perioden en onze rusttijden weliswaar niet langer uitsluitend door licht en donker in de natuur geregeld, maar toch blijft deze biologische klok, (ons 'bioritme'), tikken. Ook al brengen we de avond in een helverlichte kamer door, dan nog schijnt onze inwendige biologische klok te weten dat het avond is en bereidt hij ons voor op een periode van rust. Slaaponderzoekers noemen deze klok het circadiaans ritme.

Het circadiaans ritme

De term circadiaans ritme komt van het Latijnse *circa diem*, wat betekent 'ongeveer een dag'. Zoals de naam al doet vermoeden, gaat het hierbij om (ruwweg) een cyclus van 24 uur. Het circadiaans ritme regelt alle lichaamsritmen, waaronder de stofwisseling, uitscheidingsprocessen, groei, celvernieuwing, tot de wisselingen in de lichaamstemperatuur aan toe. Al deze lichaamsritmen worden in gang gezet door de activiteiten van een heel netwerk van chemische boodschappers en zenuwen die onder controle staan van de circadiaanse klok.

De klok zelf is gehuisvest in het deel van het brein dat de *nucleus suprachiasmaticus* heet. In complexe wezens zoals wij, zetelt die in de hypothalamus aan de basis van de hersenen, boven de hypofyse (zie bladzijde 27).

De hypofyse is onze belangrijkste klier omdat hij de hormoonproductie van het lichaam regelt.

In de jaren veertig probeerden wetenschappers aan te tonen dat onze slaapritmen door deze inwendige klok worden bestuurd en niet simpelweg door het effect van licht en donker. Isoleerproeven op vogels en dieren werden overtuigend geacht. Vogels werden wekenlang onafgebroken aan helder licht blootgesteld, maar behielden toch hun normale slaap-waakpatroon. Verder onderzoek bij vrijwilligers die drie of vier weken in een ondergrondse bunker verbleven, leverde een zelfde resultaat op. De bunker was permanent verlicht, op sommige tijdstippen sterker dan op andere, maar de vrijwilligers behielden een regelmatig patroon van waken en slapen binnen een cyclus die iets meer dan 24 uur besloeg.

Zeitgebers

Het circadiaanse ritme zorgt ervoor dat de lichaamsfuncties en ons slaappatroon een cyclus van ongeveer 24 uur doormaken, ongeacht onze omgeving. Sommige mensen hebben een ritme dat iets langer dan 24 uur beslaat, anderen een iets kortere. Externe factoren, de zogenoemde *Zeitgebers* of tijdaanduiders, laten ons steeds weer dezelfde 24-uurcyclus doorlopen. Licht en donker, activiteit en passiviteit, geluid en stilte, kunnen allemaal als *Zeitgebers* fungeren. Zonder zulke externe prikkels zouden we met regelmatige tussenpozen waken en slapen, zoals dat door ons arcadiaans ritme gedicteerd wordt, omdat ons lichaam nu eenmaal zo werkt. De *Zeitgebers* echter, reguleren dit ritme op een dusdanige manier dat we allemaal ongeveer op dezelfde tijd gaan slapen en op vergelijkbare tijdstippen opstaan. Als u bijvoorbeeld de hele nacht op zou moeten blijven, zou u de volgende dag waarschijnlijk op ieder moment in slaap kunnen vallen. Dit zou uw biologisch tijdwaarnemingssysteem in de war brengen en het zou een paar dagen duren voor dat weer in orde was. Als u echter voorbijgaat aan de natuurlijke neigingen van uw lichaam en daarbij gebruik maakt van de *Zeitgebers*, zal uw vorig ritme zich snel herstellen. De gemakkelijkste manier hiertoe is te proberen overdag wakker te blijven en 's avonds op het normale uur te gaan slapen.

Infradiaanse ritmen

Net als dieren die een winterslaap houden, worden mensen beïnvloed door de cyclus van de seizoenen - een patroon dat bekendstaat als het infradiaans ritme. Onze aangeboren neiging om op te staan als het licht wordt en te gaan slapen wanneer het donker is, leidt er natuurlijk toe dat wij in de winter langer slapen dan in de zomer. Ook mensen die voor hun dagelijkse activiteiten niet langer van natuurlijk licht afhankelijk zijn, staan toch onder invloed van seizoenveranderingen en slapen 's winters langer. Dit kan gedeeltelijk verklaard worden uit het feit dat de donkere winteravonden ons het gevoel geven dat het later is dan het werkelijk is en dat wij op donkere ochtenden minder geneigd zijn vroeg op te staan.

Lichaamstemperatuur en hormonen

De grafiek op bladzijde 26 laat zien hoe de lichaamstemperatuur en de hormoonspiegel fluctueren aan de hand van
het circadiaans ritme. Tijdens de slaap zetten de lage niveaus
van adrenaline en corticosteroïde (zie bladzijde 16) het lichaam ertoe aan het best mogelijke gebruik te maken van de
groeihormonen die 's nachts vrijkomen door de hypofyse.

De celvernieuwende en proteïne opbouwende effecten
worden tegengegaan door de invloed van de adrenaline en
de corticosteroïden. Als wij voor een regelmatig slaappatroon zorgen, is de lichaamsklok beter in staat de hormoonproductie te coördineren, zodat de hormonen optimaal
kunnen werken en wij overdag goed alert blijven en 's nachts

De lichaamsklok overschrijden

U kunt door middel van *Zeitgebers* uw lichaam dwingen voorbij te
gaan aan de lichaamsklok (zie de pagina hiernaast). Dit is bijvoorbeeld het geval als u zich moet aanpassen aan een nieuwe tijdzone.
In het begin loopt u dan helemaal uit de pas vergeleken bij anderen.
U bent op de verkeerde tijd moe. Uw behoefte aan slaap, uw eetlust,
stofwisseling en lichaamstemperatuur worden door uw biologische
klok bestuurd, en die is totaal verschillend van die van de bewoners
van die tijdzone. Na een paar dagen voelt u dat de *Zeitgebers* ervoor
zorgen dat uw waak- en slaapritme gaat overeenstemmen met dat
van de mensen om u heen.

Een 'jetlag' is een bekend voorbeeld
van een verstoring van de lichaamsklok. Als u van Amsterdam naar New
York zou vliegen, voegt u zes extra
uren aan uw dag toe: u zou vroeg in
de avond moe worden en heel vroeg
wakker worden. Na de aanpassing
zou uw lichaam nog steeds een 24
uur-cyclus volgen, maar wel een andere dan hij in Londen zou hebben.

van een weldadige slaap kunnen genieten. De meeste mensen gaan 's avonds laat slapen op een tijdstip dat hun corticosteroïdepeil op zijn laagst is en de lichaamstemperatuur en het adrenalineniveau ook gaan dalen. Op deze tijd naar bed gaan schijnt de kans op een goede nachtrust te verhogen. Zelfs als u uitgeput bent, is het moeilijker na vijf uur in de ochtend wakker te blijven omdat lichaamstemperatuur en het peil van de stimulerende hormonen dan weer stijgen.

De rol van melatonine en de pijnappelklier

Dat dieren die een winterslaap houden in staat zijn de hele winter door te slapen, wordt bepaald door de manier waarop hun pijnappelklier op licht reageert. Dit is een klier ter

De dagelijkse cycli

's Avonds beginnen de lichaamstemperatuur en de niveaus van adrenaline en corticosteroïde, de hormonen die ons wakker en actief maken, te dalen en dus worden wij moe. De lichaamstemperatuur blijft tijdens de nacht dalen tot hij het laagste punt (ongeveer 1 graad beneden het avondpeil) bereikt, om 5 uur 's ochtends. Het is verleidelijk te denken dat hij daalt omdat wij passief in bed liggen maar in feite zou hij hoe dan ook dalen. Als u 's nachts op zou blijven zou uw lichaamstemperatuur toch lager zijn dan overdag, zij het niet zo laag als wanneer u zou slapen. Het tijdstip waarop de lichaamstemperatuur het laagst is (dus om ongeveer 5 uur) is ook de tijd waarop u het meest vermoeid bent, omdat het samenvalt met het tijdstip van het laagste adrenalineniveau.

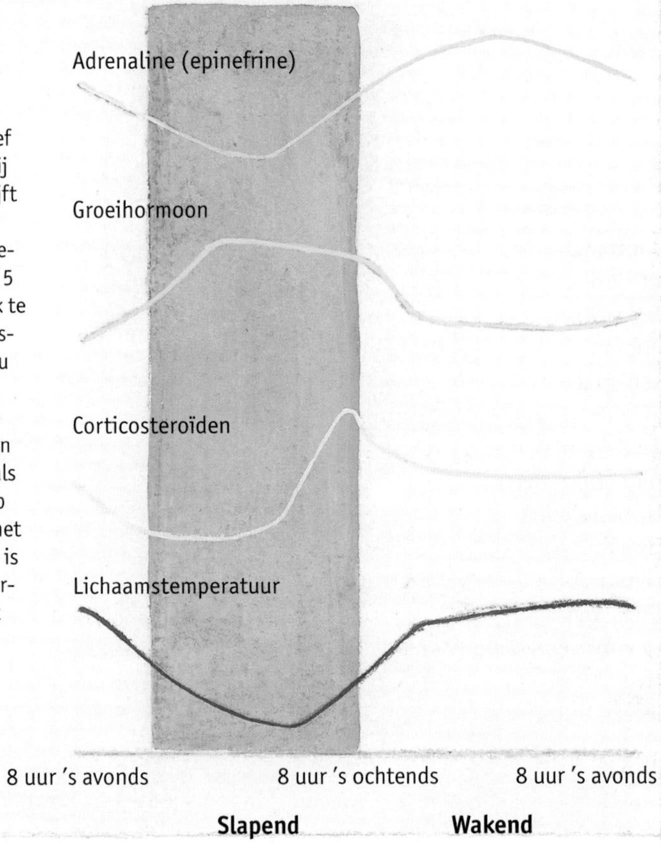

Adrenaline (epinefrine)

Groeihormoon

Corticosteroïden

Lichaamstemperatuur

8 uur 's avonds   8 uur 's ochtends   8 uur 's avonds

Slapend   **Wakend**

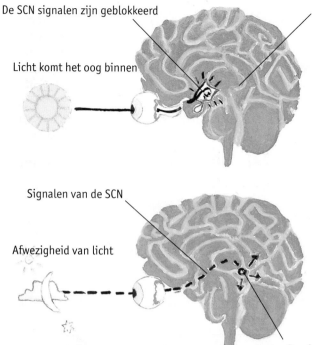

De SCN signalen zijn geblokkeerd

Licht komt het oog binnen

Er wordt geen melatonine vrij-gemaakt door de pijnappelklier

Signalen van de SCN

Afwezigheid van licht

De pijnappelklier
produceert melatonine

De invloed van licht op de pijn-appelklier

Het licht komt via de retina (net-vlies) het oog binnen. De zenuwen berichten via de nucleus suprachias-maticus aan de pijnappelklier (epify-se) hoeveel licht er binnenkomt. De aanwezigheid van licht onderdrukt de signalen van de nucleus supra-chiasmaticus naar de pijnappelklier en blokkeert daardoor de aanmaak van melatonine. Gebrek aan licht, daarentegen, maakt dat de pijnap-pelklier melatonine produceert, het-geen het lichaam eraan herinnert dat het tijd is wat kalmer aan te gaan doen ter voorbereiding van de slaap.

grootte van een erwt, die diep in de hersenen ligt en tijdens het donker een hormoon, te weten melatonine, afscheidt. De werking van melatonine, soms ook wel slaaphormoon genoemd, helpt bij het in stand houden van de lichaamsrit-men en de waak-slaapcyclus.

De teruggang in het aantal uren daglicht bij het naderen van de winter, brengt bij dieren die een winterslaap houden, voldoende melatonine op gang om de hele winter door te kunnen slapen. Bij andere dieren en mensen, zorgt de dage-lijkse fluctuatie in het melatoninepeil ervoor dat de 24-uur-cyclus in stand gehouden wordt. Aanvulling van melatonine kan helpen de biologische klok weer goed te zetten en zo no-dig voor een goede slaap te zorgen. Dit kan zeer nuttig zijn, bijvoorbeeld bij mensen die in ploegendienst werken, om weer in hun circadiaans ritme te komen.

De slaapfasen

Vóór wij in staat waren de hersengolven te controleren, was onze kennis van de slaapcycli te verwaarlozen. De ontwikkeling van het elektro-encefalogram (EEG), waarbij de elektrische activiteit van de hersenen geregistreerd wordt, en het gebruik ervan in slaaplaboratoria in combinatie met andere monitors, heeft wetenschapsmensen in staat gesteld de verschillende slaapfasen nader te definiëren. Daarbij werd de hersenactiviteit in verband gebracht met andere fysiologische veranderingen in de diverse slaapfasen.

Inmiddels weten we dat niet alle slaap hetzelfde is. Tijdens een normale slaapcyclus sluimeren we in perioden van lichte slaap, glijden in een heel vaste slaap waaruit het moeilijk wakker worden is en geraken dan in wat soms een 'dromende slaap' genoemd wordt. De slaapfasen worden op verschillende manieren in categorieën ondergebracht. Misschien is de handigste, grove indeling wel die tussen de REM ('rapid eye movement')-slaap en niet-REM (NREM)-slaap. Deze twee slaaptypen wisselen elkaar tijdens de nacht af onder invloed van het ultradiaans ritme (zie bladzijde 31). Op de tabel op de bladzijde hiernaast staan de verschillende fysiologische en geestelijke verschijnselen van de verschillende slaapfasen.

De NREM-slaap

Tijdens de NREM-slaap vertonen, zoals de alternatieve naam 'orthodoxe slaap' al doet vermoeden, lichaam en hersenen precies het gedrag dat je tijdens de slaap zou verwachten: de meeste spieren ontspannen zich, lichaamssystemen komen tot rust, en de hersengolven die met de waaktoestand en alertheid samengaan (de bètagolven) verdwijnen en worden vervangen door de steeds langzamer, diepe golven (de deltagolven) die met inactiviteit gepaard gaan.

De NREM-slaap neemt gemiddeld ongeveer 70 procent van de totale slaaptijd van een jonge volwassene in beslag. Hij is in vier fasen verdeeld. Fasen één en twee worden soms als lichte slaap geclassificeerd, en drie en vier als diepe of langzame golfslaap.

In de eerste fase, die eigenlijk een toestand van halfbewustzijn is, voelen wij ons slaperig en kunnen een soort drijvend of zwevend gevoel ervaren. We kunnen ook de zogenoemde hypnogogische ervaring hebben - een droomachti-

Slaapmonitoren

De moderne slaapcontrole-apparatuur registreert de activiteit van de hersengolven door middel van elektroencefalografie (EEG), leest de bewegingen van de oogbol af met elektro-oculografie (EOG) en geeft de spierbewegingen weer door middel van een elektromyograaf (EMG).

Bij het maken van een EEG worden twee elektroden op de schedel geplakt die het elektrisch functioneren van de hersenschors weergeven. De oogbewegingen worden geregistreerd door twee elektroden die boven de wenkbrauwen of de jukbeenderen worden geplaatst. Bij een EMG wordt van onder de kin geregistreerd, daarbij worden de elektrische stromen in de nekspieren weergegegeven.

Karakteristieken van de verschillende slaapfasen

	NREM-slaap (fasen 1 en 2) Lichte slaap	NREM-slaap (fasen 3 en 4) Diepe slaap	REM-Slaap
Fysiologische veranderingen	◆ Lichte ontspanning van de spieren ◆ Oogbewegingen	◆ Groeihormoon komt vrij ◆ Bloedcel- en weefselherstel, vooral van de huid ◆ Energiepeil herstelt zich	◆ Onregelmatige ademhaling en hartslag ◆ Toegenomen bloedtoevoer en vernieuwd proteïne-peil in hersenen ◆ Bloeddruk fluctueert ◆ Snelle oogbewegingen ◆ Gezichtstrillingen ◆ Weinig beweging in het lichaam ◆ Toegenomen aanmaak testosteron ◆ Vrouwen: verhoogde vaginale doorbloeding; mannen: erecties
Bewustzijnsveranderingen	◆ Wordt voorafgegaan door slaperigheid en verminderd logisch denken ◆ Hypnogogische (droomachtige) ervaringen ◆ De dromen worden herinnerd bij het wakker worden	◆ Moeilijk wakker worden ◆ Geen bewust denken ◆ Er vindt een weinig dromen plaats ◆ Dromen of gebeurtenissen worden niet herinnerd bij het wakker worden	◆ Makkelijk uit wakker te worden ◆ Geen bewust denken ◆ Meeste dromen vinden hierin plaats ◆ Dromen worden herinnerd bij het wakker worden
Slaapstoornissen	◆ Bedwateren en praten in de slaap in fase 2 ◆ Knarsetanden	◆ Slaapwandelen ◆ Praten in de slaap ◆ Plotseling angstig wakker schrikken	◆ Nachtmerries ◆ Nauwelijks praten in de slaap
Speciale slaapbehoeften	◆ Mensen die kort slapen vertonen deze fase in geringe mate	◆ Korte slapers spenderen bijna evenveel tijd aan deze fase ◆ Er is een grotere behoefte aan deze fase tijdens zwangerschap, adolescentie, na lichaamsbeweging of gebrek aan slaap, bij mensen met een overactieve schildklier ◆ Mensen met een traag werkende schildklier hebben hiervan juist minder nodig	◆ Korte slapers verblijven vrijwel evenveel tijd in deze fase
Veranderingen tijdens de nacht	◆ Verlaagde lichaamstemperatuur ◆ Melatonine komt vrij ◆ Spierverslapping ◆ Lagere hartslag ◆ Lage stofwisselingsactiviteit ◆ Een lagere bloeddruk ◆ Geringe adrenalineproductie		

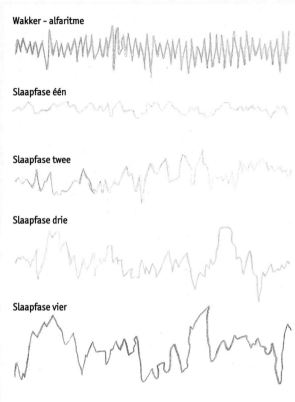

Wakker - alfaritme

Slaapfase één

Slaapfase twee

Slaapfase drie

Slaapfase vier

Typen hersengolven

Waaktoestand - Wanneer wij ontspannen, maar toch wakker zijn, hebben de alfaritmen de overhand (zie hiernaast).

Slaapfase één - De hersenactiviteit is op het EEG te zien als een golvende lijn met vrij regelmatige kleine golven die staan voor geestelijke ontspanning.

Slaapfase twee - Uitbarstingen van hersenactiviteit van luttele seconden verschijnen op het EEG. Deze uitschieters karakteriseren deze fase. Als de tweede fase overgaat in de derde, zien we de hersengolven langzamer en groter worden - hoe langzamer en groter, des te dieper de slaap.

Slaapfase drie - Tussen de 20 en 50 procent van de hersengolven zijn langzame (delta)golven

Slaapfase vier - Deze wordt bereikt als meer dan de helft van de golven uit langzame golven bestaat.

ge sensatie waarin wij vallen, stemmen horen of flitsen van beelden zien. Aan het begin van de nacht, duurt de eerste fase zo'n één tot tien minuten, en beslaat slechts ongeveer 5 procent van de totale slaaptijd.

De tweede fase is de eerste fase van de echte slaap en neemt ongeveer 50 procent van de totale slaaptijd in beslag. Een gezonde jonge volwassene bereikt gewoonlijk de derde fase, dat is de eerste fase van de diepe slaap, binnen 20 minuten en verblijft slechts 7 procent van de totale slaaptijd in dit stadium. Fase vier is de fase van de allerdiepste slaap, waarin het lichaam waarschijnlijk het meeste herstelt en tot rust komt. Bij de meeste volwassenen neemt deze vierde fase ongeveer 11 procent van de slaaptijd in beslag.

De REM-slaap

De REM-slaap wordt meestal als verschillend van de andere vier fasen gezien. Hij werd pas in 1957 als zodanig geïdentificeerd door de Amerikaanse slaaponderzoekers Nathaniel Kleitman en William Dement, die het de 'paradoxale slaap' noemden omdat de grote hersenactiviteit en de snelle oogbewegingen van deze fasen in verrassend contrast staan met de aan verlamming grenzende mate van spierontspanning. Men heeft wel geopperd dat deze verlamming een slimme truc is om de geest in staat te stellen het rijk van het onbewuste te verkennen. Bijkomend voordeel zou zijn dat het ons ervan zou weerhouden gebeurtenissen in de droom, waartoe soms ook gewelddaden en moord behoren, werkelijk ten uitvoer te brengen; daden die wij immers bij vol bewustzijn nooit zouden plegen. Tijdens de REM-slaap neemt de bloedtoevoer naar de hersenen toe. Bij kinderen kan dit de groei van de hersenen bevorderen en bij volwassenen de vernieuwing.

Gezonde jonge volwassenen ervaren de eerste REM-slaap binnen 90 minuten na het in slaap vallen. De REM-slaap herhaalt zich ongeveer iedere 90 minuten gedurende de hele nacht en duurt iedere keer iets langer, tot wij vlak voor het wakker worden eindigen met ongeveer 30 minuten REM-slaap.

De slaapcycli

Onderzoek heeft aangetoond dat wij in cycli van 90 tot 100 minuten slapen. Als we slapen, gaan we gewoonlijk door de fasen één, twee, drie en vier en keren dan terug naar fase twee voordat we de eerste REM-slaap van die nacht beleven. De tijd tot het begin van de eerste REM-slaap is de eerste slaapcyclus.

De tweede cyclus begint met de eerste REM-periode en duurt tot en met de vier fasen van de NREM-slaap tot de tweede REM-slaap begint. Iedere cyclus, dus van het begin van de eerste REM-slaap tot het begin van de volgende, duurt zo'n 90 minuten. Iedere cyclus, behalve de eerste, bevat zowel REM- als niet-REM-slaap. In de eerste helft van de nacht is er meer diepe slaap (fasen 3 en 4) dan REM-slaap, en in de tweede helft van de nacht is er meer REM-slaap.

De eerste REM-slaapperiode duurt vrij kort - meestal minder dan 15 minuten. Naarmate de nacht vordert worden

'Slaapcycli' overdag

In 1963 opperde de eminente Amerikaanse slaaponderzoeker Nathaniel Kleitman dat de 90 minuten durende 'ultradiaanse' cyclus van de REM- en de NREM-slaap overdag voortduurt, en laboratoriumexperimenten hebben aangetoond dat dit inderdaad het geval zou kunnen zijn. In de praktijk betekent dit dat wij ruwweg iedere 90 minuten een terugval in onze energie en concentratievermogen ervaren, en dat wij op die tijdstippen ook gemakkelijk in slaap kunnen vallen. Sommige experts geloven dat mensen die aan slapeloosheid lijden deze kritieke perioden van slaperigheid missen en dan op de herhaling ervan moeten wachten.

de REM-perioden steeds langer. Ten slotte, in de laatste slaapcyclus, voor de meesten de vijfde cyclus, is er een REM-slaap die ongeveer een halfuur duurt. Gezonde mensen vallen niet meteen in een REM-slaap na wakker te zijn geweest, zelfs niet als zij uit een REM-slaap ontwaken. Meestal komt een REM-slaap pas na een minuut of 30 weer terug.

De 90 minuten durende cycli waarin de REM-slaap afgewisseld wordt met orthodoxe slaap, staan bekend als ultradiaanse ritmen. Dit slaappatroon is universeel. Niemand doorloopt in één ruk zijn diepe slaap of REM-slaap. En hoewel een onregelmatige en ongezonde leefwijze de kwantiteit en de kwaliteit van de slaap nadelig kan beïnvloeden, wordt dit patroon toch nooit verstoord.

Er zijn verschillende opvattingen over de vraag of de REM-slaap belangrijker is dan de NREM-slaap of andersom. Experimenten in slaaplaboratoria tijdens de jaren zestig toonden aan dat mensen aan wie de REM-slaap een paar nachten achter elkaar onthouden werd, een grotere behoefte aan juist deze slaapfase hadden als ze weer gingen slapen. Ze werden ook meer gespannen, sneller geïrriteerd en konden zich slecht concentreren als ze geen REM-slaap kregen. In die tijd dacht men dat dromen uitsluitend plaatsvond tijdens de REM-slaap en dat deze experimenten daarom aantoonden dat het onthouden van de gelegenheid tot dromen tot ernstige geestelijke verwarring leidde.

We weten nu dat dromen in zekere zin tijdens alle slaapfasen plaatsvindt en dat het dus misschien niet het gebrek aan dromen maar het gemis aan een ander aspect van de REM-slaap is dat tot geestelijke storingen leidt. Het staat echter hoe dan ook vast dat we dit type slaap om de een of andere reden nodig hebben en dat we, als we er een tekort aan hebben gehad, het de nacht daarop altijd zullen willen inhalen.

De NREM-slaap is ook van vitaal belang voor de gezondheid, in het bijzonder fase vier. In slaaplaboratoria hadden de van nature korte slapers (mensen die zich fit blijven voe-

Slaapcycli tijdens de nacht

Tijdens een gemiddelde nacht doorlopen we in cycli van ongeveer 90 minuten de verschillende slaapstadia. Verhoudingsgewijs komt de diepe slaap (fase drie en vier) meer voor aan het begin van de nacht, en zijn de REM-slaapperioden langer in het laatste deel van de nacht.

len ook al slapen ze minder dan vijf uur per nacht) minder tijd voor de fasen één, twee en drie nodig dan gemiddeld, maar wel de gemiddelde tijd voor fase vier en de REM-slaap.

Men neemt nu algemeen aan dat we voor een goede gezondheid zowel de NREM- als de REM-slaap nodig hebben. Wat voor fysiologische en mentale gevolgen de verschillende typen slaap veroorzaken is echter nog niet geheel duidelijk. Men neemt aan dat het hoge peil van het groeihormoon dat tijdens de diepe NREM-slaap vrijkomt van fundamenteel belang is voor de lichamelijke gezondheid, terwijl de toename van de bloedtoevoer naar de hersenen die tijdens de REM-slaap optreedt noodzakelijk kan zijn voor de geestelijke gezondheid. In de verschillende fasen van ons leven schijnen we minder of meer van ieder type slaap nodig te hebben, maar omdat we niet in de hand hebben welk type slaap we krijgen, kunnen we alleen maar proberen in totaal genoeg slaap te krijgen om in onze behoeften te voorzien.

Natuurlijke ritmen en onze gezondheid

Het samenspel van ons natuurlijke ritme en externe tijdaanduiders helpt ons in harmonie met onze omgeving te leven. Als we 's avonds op een regelmatige tijd naar bed gaan en 's ochtends op een regelmatige tijd opstaan, handelen wij in harmonie met de natuur en slapen dan in het algemeen ook beter. Het programmeren van het lichamelijke ritme en de daarmee verbonden fysiologische processen naar aanleiding van externe signalen stelt ons in staat ons op het slapen in te stellen, een natuurlijk proces waardoor wij ons kunnen ontspannen en geneigd zijn ons in het donker onder de warme deken te nestelen. Evenzo bereiden de toename van onze lichaamstemperatuur en onze hormonale activiteit ons 's ochtends voor op de dingen die komen gaan doordat wij warmer worden. Bovendien worden wij ook nog wakker van het daglicht. Kortom, ons lichamelijk ritme reageert niet slechts op onze omgeving, het werkt ermee samen, het loopt op de veranderingen vooruit en stelt ons in staat op ze in te spelen.

Veranderingen in slaapgewoonten en ziekte
Een Brits onderzoek onder 9000 mensen toonde een direct verband aan tussen dagen die wegens ziekteverlof waren opgenomen en veranderingen in slaapgewoonten.

Hoofdstuk 3

Slaapduur en slaappatroon

Shakespeare noemde de slaap 'de voornaamste voeder van het feest dat leven is'. De metafoor is goed gekozen want slaap is even noodzakelijk als voedsel, maar wordt ook even gemakkelijk verkeerd gebruikt. Als je een helende slaap voor ogen staat, is het verleidelijk te denken dat hoe langer je slaapt, des te beter het voor je gezondheid is. Het idee dat een goede nachtrust gelijk staat aan 8 ononderbroken uren slaap is een vast geworteld idee in onze cultuur. Mensen die maar 5 uur per nacht halen, of degenen die moeilijk met minder dan 10 toe kunnen, voelen zich vaak abnormaal. Maar de behoefte aan slaap is, net als smaak en eetlust, van individu tot individu verschillend.

Hoeveel slaap hebben wij nodig?

Men neemt aan dat twee derde van de volwassen bevolking gemiddeld ongeveer zeven en een half uur per nacht slaapt. Ongeveer 16 procent slaapt meer dan acht en een half uur en 16 procent slaapt minder dan zes en een half uur. Als je bedenkt dat volgens een onderzoek uit 1910 gezonde jonge volwassenen gemiddeld negen uur per nacht sliepen, lijkt het erop dat onze slaapbehoefte aan het afnemen is. Een aantal deskundigen is echter van mening dat het gemiddelde voor veel mensen niet genoeg is. Onderzoekers van het 'North Valley Sleep Disorder Center' in Californië houden het erop dat ongeveer de helft van de mensen niet genoeg slaap krijgt. De Britse slaapdeskundige dr. Jim Horne gelooft dat de kwaliteit belangrijker is dan de kwantiteit. Hij beweert dat zes uur slaap meer dan genoeg is om gezond en fit te blijven maar dat je méér kunt slapen als je dat per se wilt. Horne gaat ervan uit dat wij vooral de 'kernslaap' nodig hebben - een combinatie van de diepe slaap met zijn langzame hersengolven en de REM-slaap, omdat dat nu juist de rust-

gevende en herstellende fasen van de slaap zijn.

Onderzoek heeft uitgewezen dat zij die kort slapen toch evenveel kernslaap krijgen als langslapers, omdat zij een groot gedeelte van de lichte slaap overslaan en die tijd vullen met de essentiëlere slaaptypen.

De evolutie schijnt van invloed geweest te zijn op de hoeveelheid extra tijd die wij aan slapen besteden. Ons betrekkelijk veilige bestaan heeft ertoe geleid dat wij veel langer kunnen slapen, vrij als wij zijn van de dreiging van gevaarlijke roofdieren. Dit patroon vindt zijn parallel in het dierenrijk. Dieren die zelden aangevallen worden, slapen veel langer en dieper dan de dieren die vanwege hun vlees in trek zijn bij andere diersoorten en dus doorlopend op hun hoede voor een aanval moeten zijn.

De gevolgen van gebrek aan slaap

Het obsessief in de gaten houden van het aantal uren dat je slaapt doet waarschijnlijk veel meer kwaad dan dat je een uurtje sluimeren mist. Eens een keer een paar uur slaap missen schijnt niet schadelijk voor de gezondheid te zijn; het maakt ons hoogstens wat moe en lichtelijk geïrriteerd. Hoeveel slaap je de ene dag ook te kort komt, je haalt het de volgende dag wel weer in. Dat het lichaam deze zelfregulerende kracht bezit zou in een ideale wereld betekenen dat wij allemaal genoeg slaap zouden krijgen. Onze wereld is echter verre van ideaal en bezwarende omstandigheden als stress, onregelmatige uren, ziekte en geluidsoverlast leiden voor een aantal mensen tot gebrek aan slaap.

Een van de gevolgen die je ogenblikkelijk voelt als je te weinig geslapen hebt is een verminderd vermogen tot oordelen en concentreren. Mensen die slecht slapen lopen bijvoorbeeld een groter risico een ongeluk te krijgen als ze gevaarlijke machines bedienen of besturen. Ook nemen ze eerder een slecht besluit en maken sneller fouten.

Een voortdurende vermoeidheid kan leiden tot prikkelbaarheid, geheugenverlies, depressie en stress. Als je gespannen en bang bent dat je niet goed zult slapen, slaap je onwillekeurig slechter, dus raak je gemakkelijk in de bekende vicieuze cirkel die zo moeilijk te doorbreken is. De vertrouwde zichtbare gevolgen zijn donkere kringen onder de ogen en een ongezonde huid.

Op de lange duur, kan het afweersysteem van het lichaam

Slaap en persoonlijkheid

Onze persoonlijkheid schijnt ook een rol te spelen bij onze slaapbehoefte. Korte slapers worden wel gekarakteriseerd als harde werkers, extravert, energiek, ambitieus en vol zelfvertrouwen. Zij die lang plegen te slapen zouden piekeraars zijn, minder zelfverzekerd, misschien licht-neurotisch maar ook creatiever en artistieker. De Franse schrijver Voltaire schijnt maar drie uur slaap per nacht nodig gehad te hebben, en ook ex-premier Margaret Thatcher van Groot-Brittannië beweerde dat zij niet meer nodig had dan dat. Maar van het genie Albert Einstein wordt beweerd dat hij 12 uur achtereen sliep.

aangetast worden. Studies hebben uitgewezen dat als gezonde jonge volwassenen het zonder slaap moeten stellen, al is het maar voor een of twee dagen, zij minder witte bloedcellen (die tegen infectie beschermen) produceren en dus een lagere weerstand tegen ziekten als verkoudheid en griep hebben.

Onderzoek heeft ook uitgewezen dat de natuur ervoor zorgt dat mensen na ziekte of een operatie meer diepe slaap (die met de langzame hersengolven) krijgen omdat deze het genezingsproces versnelt.

Mensen die op een zogenoemde 'intensive care unit' liggen om te herstellen laten onbedoeld zien hoezeer slaapgebrek genezing belemmert. In deze intensive care units is dag en nacht het licht aan, geluiden en activiteit gaan 's nachts gewoon door, en ook de noodzaak tot geregeld medisch ingrijpen maakt ongestoord slapen tot een onmogelijkheid. Dit alles kan leiden tot het 'intensive care unit-syndroom', waarbij het herstel vertraagd wordt en de patiënt geestelijk onder druk staat, waardoor hij vaak verward en zelfs paranoïde wordt. Als weer een normaal slaappatroon verkregen wordt, lossen deze problemen zich vanzelf op.

Te veel slaap

Onderzoek naar het gemis aan slaap lijkt erop te wijzen dat wij minstens 2 uur slaap per dag nodig hebben en niet meer dan 15 uur. We schijnen een ingebouwde wekker te hebben die ons ervan weerhoudt té lang te slapen. Toen vrijwilligers na een 'marathon' van niet-slapen weer onbeperkt mochten slapen, sliep geen van hen langer dan 15 uur achter elkaar. Ondanks het feit dat deze mensen dagen achter elkaar wakker waren geweest, losten zij hun 'slaapschuld' in één lange nacht af. Als je een nacht slaap mist, heb je geen twee hele nachten nodig om deze weer in te halen. Meestal zijn een paar uur extra slaap voldoende. Een paar jaar geleden hebben onderzoekers in Californië zelfs aangetoond dat te lang uitslapen of op onregelmatige tijden gaan slapen tot een zelfde patroon van snel geïrriteerd zijn en slecht functioneren kan leiden als een simpel slaapgebrek. Dit bevestigt de traditionele Chinese medische opvatting dat te veel slaap even ongezond is als te weinig en dat beide problemen op gebrek aan evenwicht wijzen.

Veranderingen in slaapbehoefte

Onze slaapbehoeften veranderen naarmate wij ouder worden - zowel wat betreft slaapduur als de tijden waarop wij
gaan slapen. Kinderen hebben andere behoeften dan volwassenen en ook die hebben al naar gelang van hun leef-
tijdsfase verschillende behoeften. Kwaliteit en duur van de
slaap worden ook nog door andere factoren bepaald: het
slaappatroon bij vrouwen staat bijvoorbeeld onder invloed
van hun hormonale huishouding. Wat velen als een slaapprobleem zien kan simpelweg een reactie op van nature gegeven veranderingen zijn.

SLEUTEL

Wakker

Rustige slaap

Actieve slaap

Lichte slaap

Diepe slaap

REM-slaap

Slaappatronen in de vroege jeugd

Pasgeboren baby's kunnen wel 16 tot 18 uur per
dag slapen. Kleine baby's vallen vaak direct in
een REM-slaap (die in deze leeftijdscategorie
actieve slaap genoemd wordt), en slaan daarbij
fasen een tot en met vier over (die bij hen rustige slaap heet). Baby's slapen naarmate ze
groeien minder, maar steeds langer achtereen.
Als ze drie of vier zijn, zijn kinderen 3 uur per
nacht in diepe slaap, 3 tot 4 uur in de REM-
slaap, en iets minder dan 5 uur in een lichte
slaap. Als ze een jaar of tien zijn hebben ze, net
als volwassenen, gedurende 2 uur per nacht een
REM-slaap.

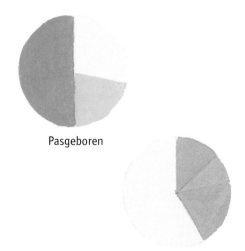

Pasgeboren

3-5 jaar

13-15 jaar

De tienerjaren

Tijdens de adolescentieperiode neemt de behoefte aan
slaap tijdelijk toe. Tussen 11 en 17 jaar neemt het aantal
uren diepe slaap af, maar de totale behoefte aan slaap
neemt juist toe. Als hij er de kans voor krijgt, slaapt een
adolescent gemakkelijk 10 uur per nacht. Het feit dat kinderen die midden in of aan het eind van hun tienerjaren
zijn ook na een volwaardige nacht overdag slaperig kunnen worden, wijst eveneens op een grotere behoefte aan
slaap in deze levensperiode.

Van volwassenheid tot middelbare leeftijd

Volwassenen tussen de 20 en 30 jaar vertonen een betrekkelijk stabiel slaappatroon. Twintigjarigen hebben een gemiddelde van 7,5 uur slaap per nacht, wat neerkomt op iets minder dan 1,5 uur diepe slaap, bijna 4 uur lichte slaap en ongeveer 2 uren REM-slaap. Het slaappatroon verandert dan weer tussen de 40 en 45 jaar (bij mannen) en tussen de 50 en 55 jaar (bij vrouwen).

20-29 jaar

70-79 jaar

Na de middelbare leeftijd

Na de middelbare leeftijd neemt het totaal aan diepe slaap geleidelijk af. De meeste mensen die ouder zijn dan 70 slapen minder dan 7 uur per nacht. In deze leeftijdsgroep wordt slechts 23 minuten in diepe slaap doorgebracht. De meeste slaap is licht en vaak onderbroken.

Individuele behoeften

Bij mensen die verder gezond zijn kan de slaap door het volgende beïnvloed worden:

♦ **Aangeboren trekjes.** Sommige baby's en kinderen slapen van nature niet veel, en worden later volwassenen die met weinig slaap toe kunnen.

♦ **Lichaamsbeweging en metabolisme.** Mensen die overdag meer bewegen, slapen 's nachts beter. Dit heeft waarschijnlijk te maken met een verhoogde lichaamstemperatuur als gevolg van de lichaamsbeweging, die gunstig werkt op de diepe slaap. Daarom brengen mensen met een versneld metabolisme waarschijnlijk meer uren in diepe slaap door.

♦ **Ernstig gewichtsverlies op de lange duur.** Dit heeft een verlaging van de lichaamstemperatuur tot gevolg en heeft een kwalijk effect op de slaap.

Bijzondere slaapbehoeften bij vrouwen

Hormonale veranderingen kunnen de aard en de hoeveelheid van de slaap bij vrouwen beïnvloeden. Vrouwen die last hebben van het pre-menstrueel syndroom krijgen gewoonlijk wat minder REM-slaap en diepe slaap in de dagen vóór de menstruatie. Met als gevolg dat zij niet de slaap krijgen die zij nodig hebben en zich extra moe en prikkelbaar voelen.

Tijdens de eerste drie maanden van de zwangerschap zijn vrouwen vaak moe en hebben zij behoefte aan een dutje overdag. Onderzoekers aan de universiteit van Californië zijn er achter gekomen dat dit kan liggen aan het feit dat zwangere vrouwen minder diep slapen en dat hun slaap ook vaker onderbroken wordt. Dit zou veroorzaakt worden door een verhoogd gehalte aan het progesteron-hormoon.

De menopauze kan ook een periode van frequente slaapverstoringen zijn, als gevolg van opvliegers en overmatig transpireren tijdens de nacht. De menopauze heeft echter ook positieve kanten. Onderzoek wijst erop dat door de veranderingen die het lichaam nu ondervindt het totale aantal uren diepe slaap toeneemt. Vrouwen krijgen deze wel tien jaar langer toegemeten dan mannen. Het feit dat vrouwen langer leven dan mannen wordt wel gedeeltelijk hieraan toegeschreven.

Slaappatronen: natuur of gewoonte-vorming?

Slapen mag dan een natuurlijke toestand zijn, maar wanneer we slapen is een kwestie van gewoontevorming. Dit is niet zo in tegenspraak met elkaar als het lijkt. Per slot van rekening worden veel van onze natuurlijke functies door gewoonten bepaald: eten is natuurlijk, maar toch wennen we onszelf eraan om op bepaalde uren te eten; urineren is een natuurlijke zaak, maar als kinderen moeten we wel zindelijk gemaakt worden. Slapen is een zogeheten aangepaste aangeboren activiteit, hetgeen betekent dat wij het intuïtief doen, maar moeten leren om het op een aanvaardbare tijd te doen.

Baby's slapen wanneer ze maar willen omdat niemand enige aanspraak op hun tijd maakt. Ouders leren hun kinderen te gaan slapen als zij in bed worden gelegd. Zo ontwikkelen ze gaandeweg een slaappatroon dat sociaal aanvaardbaar is. Slechte gewoontevorming in de jeugd is zeer moeilijk te doorbreken. In hoofdstuk 7 bespreken we eventuele slaapproblemen bij kinderen.

Siësta's, dutjes en hazenslaapjes

In sommige culturen, vooral in het Middellandse-Zeegebied, is een siësta in de middag heel gewoon. Er zijn bevindingen die erop wijzen dat een slaapje 's middags de nachtrust niet beïnvloedt, heilzaam kan zijn voor stemming, concentratie en productiviteit. Ons lichaamsritme zou behoefte hebben aan een dutje in de middag, en sommige slaapdeskundigen geloven dat juist een kort middagslaapje de energie weer op peil brengt, de geestelijke prestaties aanscherpt en problemen die met vermoeidheid in de middag samenhangen, voorkomt. Helaas laat de levensstijl van de meeste mensen geen siësta toe. Thuiswerkenden en gepensioneerden zijn de enigen die zich een middagdutje kunnen veroorloven.

Mensen die in ploegendienst werken en slechte slapers zijn geneigd zodra ze er de kans voor krijgen een dutje te doen. Korte slaapjes laten je wel slaap inhalen, maar op de lange duur bieden ze geen oplossing voor echte slaapproblemen. Het kan de vicieuze cirkel van 's nachts wakker liggen ook verergeren.

Ayurveda-beoefenaars geloven dat

dutjes heilzaam kunnen zijn maar dan alleen wanneer je actief besluit tot een dutje en niet wanneer je je passief door slaap laat overmannen. Deepak Chopra zegt: 'een fundamenteel onderdeel van de handeling is de bedoeling. Als er geen sprake van bedoeling is, is het dutje van generlei waarde.' Dutjes moeten verfrissend werken, en niet als vervanging voor de nachtrust dienen. Ze zouden niet langer dan 30 minuten mogen duren anders wordt de slaap te diep, en dan is het moeilijk wakker worden en voelen wij ons slechter dan daarvóór.

Oudere mensen, die 's nachts minder slapen, vallen overdag vaak in een zeer korte slaap die niet meer dan enkele seconden duurt, een hazenslaapje. Ze hebben hetzelfde verfrissende effect als korte, echte slaapjes, maar kunnen de nachtrust wel bekorten. Onderzoek in slaaplaboratoria heeft uitgewezen dat 25 procent van de 70-jarigen en 45 procent van de 80-jarigen overdag een dutje doet.

Je eigen slaapbehoeften accepteren

Veel mensen die denken dat zij aan slapeloosheid lijden zijn zich er niet van bewust dat zij gewoon minder slaap nodig hebben. We zijn allemaal individuen met individuele behoeften en terwijl sommigen 9 uur ongestoorde slaap nodig hebben, kunnen anderen vrolijk uit bed springen na slechts 5 uur slaap. We moeten echter onze eigen slaapbehoeften (onder)kennen. Als u een korte slaper bent die zich, in weerwil van een korte nachtrust, overdag heel fit voelt, hoeft u zich geen zorgen te maken en kunt u zich verheugen in het feit dat u véél tijd hebt voor uzelf. Het is gezonder in harmonie met uw natuurlijke slaappatroon te leven dan te piekeren over het feit dat u niet 'normaal' slaapt. Als u na het naar bed gaan iedere nacht een uur wakker ligt en u zich afvraagt waarom u niet in slaap valt, kunt u beter een uur later naar bed gaan of een uur eerder opstaan en kijken wat er gebeurt. Het zou wel eens kunnen zijn dat u dan kwalitatief beter slaapt en geleidelijk aan minder gespannen wordt. Als u echter voortdurend moe bent en het gevoel hebt dat u echt meer slaap nodig hebt maar die om de een of andere reden niet krijgt, zou het nuttig kunnen zijn uw dagelijkse routine en alle aspecten van uw manier van leven eens onder de loep te nemen.

Een normale nachtrust?
Dr. Chris Idzikowski, voorzitter van de 'British Sleep Society', zegt dat vragen hoeveel slaap een mens nodig heeft net zo onzinnig is als vragen hoe snel we zouden moeten ademhalen. Het hangt ervan af wat we overdag gedaan hebben, en wij hebben er voor het grootste deel geen zeggenschap over.

Hoofdstuk 4

De rol van onze dromen

Het is helaas niet mogelijk zeker te weten of ook onze voorouders uit nachtmerries met wilde dieren of dromen waarin ze hun knotsenzwaaiende buren overwonnen, plachten te ontwaken, maar er is een goede kans dat dat inderdaad zo was. Zolang mensen al bepaalde dingen optekenen, schrijven zij ook hun dromen op en proberen zij de betekenis ervan te ontrafelen. Toch weten we nog steeds betrekkelijk weinig van onze dromen en hun betekenis.

We brengen ongeveer een kwart van iedere nacht dromend door, en dat betekent dat wij dat gemiddeld zes jaar van ons leven doen. Toch vormt het rijk van onze dromen in veel opzichten nu nog net zo'n mysterie als in vroeger tijden. Uit laboratoriumonderzoek is duidelijk gebleken dat iedereen droomt. Sommige mensen zeggen wel dat ze nooit dromen, maar geleerden hebben aangetoond dat deze 'nietdromers' hun dromen gewoon heel snel weer vergeten of geloven dat ze alleen denken in hun slaap.

Traditionele en moderne opvattingen

Door de hele geschiedenis heen hebben de verschillende culturen hun eigen verklaring gevonden voor het verschijnsel dromen. In veel traditionele samenlevingen in heden en verleden wordt geloofd dat dromen gebruikt kunnen worden om de toekomst te voorspellen, om psychologische problemen te ontwarren en, zeer belangrijk, met bovennatuurlijke wezens in contact te komen om aan hen speciale krachten te ontlenen. In sommige culturen, zoals die van de inheemse bevolking van Amerika, vond men droomervaringen zó belangrijk, dat zij door te vasten, te mediteren en door op speciale plaatsen te gaan slapen probeerden te bereiken dat zij de juiste dromen zouden krijgen.

In deze samenlevingen geloofde men vast en zeker dat

dromen invloed op het wakend leven uitoefenden. Door in een droom bijvoorbeeld gevaar openlijk tegemoet te treden werden zij dapperder, door naar geesten te luisteren wijzer en door over een probleem een nachtje te slapen, konden zij een oplossing vinden.

De oorspronkelijke inwoners van Amerika geloofden in een soort gids, een figuur die de dromer veilig door de slaap-wereld kon leiden en hem hielp wijzer terug te komen. Sja-manen (medicijnmannen en -vrouwen, tovenaars) gebruik-ten dromen om in de geestenwereld te kunnen rondzwerven en de geheimen van de doden te leren kennen. Dromen wer-den ook gebruikt om de persoonlijke transformatie te ver-gemakkelijken. Iemand die in een droom vocht en dood-ging, kon geestelijk herboren worden als een betere, sterkere en wijzere mens.

In de meeste oosterse filosofische en medische systemen wordt de mens niet gewoon gezien als een lichaam dat be-stuurd wordt door een geest, maar als een gecompliceerd, geïntegreerd geheel van lichaam, geest en ziel. De spirituele dimensie van de droom is dan ook het aspect waaraan de oosterse tradities de meeste aandacht geven. De boeddhis-ten in Tibet, onder anderen, gebruiken dromen als een ma-nier om met de ziel te communiceren. Als je tijdens een droom overlijdt, gaat de droom dóór.

De meningen van de moderne psychologen over de bete-kenis van dromen zijn verdeeld. Velen geloven dat dromen van essentieel belang is voor een gezond en goed ontwikkeld stel hersenen, net zoals de diepe slaap dat is voor onze licha-melijke gezondheid, groei en herstel. Dit lijkt een aanneme-lijke these. De meeste dromen vinden plaats tijdens de REM-slaap en mensen aan wie de REM-slaap onthouden wordt, raken vermoeid, prikkelbaar en humeurig, en heb-ben vaak een slecht geheugen en een verminderd concentra-tievermogen.

Wat hun functie betreft schijnen dromen de taak te heb-ben het geestelijk puin op te ruimen dat wij iedere dag op-nieuw verzamelen. Dit schijnt ons alert en evenwichtig te houden, en ons in staat te stellen ons overdag te concentre-ren en te leren. Een geestelijke grote schoonmaak dus, die de geest voor verwarring behoedt en hem in staat stelt het on-bewuste te verkennen.

> 'De natuur doet niets voor niets. Als het doel van de slaap inderdaad is het li-chaam te herstellen, moeten we er rekening mee houden dat dit herstel gedurende een groot deel van onze slaaptijd niet zomaar door passief rusten te verkrijgen is. Nee, er heeft een positief, creatief proces plaats, dat enorm veel energie vergt.'
>
> **Deepak Chopra**
> *Restful Sleep*

De interpretatie van onze dromen

Dromen zijn gedachten en beelden die tijdens de slaap naar boven komen en een gecompliceerd innerlijk antwoord op externe gebeurtenissen vormen. Zij komen uit ons onderbewuste voort, waar geen logica heerst en waar geen grenzen tussen verleden, toekomst en heden zijn.

Mythologie, culturele en persoonlijke opvattingen zijn voor de droominterpretatie van even groot belang als de psychologie. De meeste culturen hebben ook al eeuwen een bepaald geloof in de spirituele betekenis van dromen. Men dacht algemeen dat positieve dromen berichten van de goden of van God waren en dat ongunstige dromen door kwade geesten werden gezonden. Veel gemeenschappen ontwikkelden een eigen systeem om dromen te interpreteren. Westerse geleerden en psychologen daarentegen, zijn ertoe geneigd de spirituele aspecten van de droom als een mythe af te doen. Voor de komst van de psychoanalyse beschouwden wetenschappers en artsen dromen als een soort geestelijk huisvuil. Een aantal van hen hangt deze theorie nog steeds aan, maar anderen zijn ervan overtuigd geraakt dat dromen juist een nuttige rol vervullen bij het behoud van onze geestelijke en spirituele gezondheid.

> 'droomonderzoek is een van de weinige overgebleven gebieden waarin de leek even bedreven is als de deskundige.'
>
> **Dr. David Fontana**
> *The Secret Language of Dreams*

Alle systemen van droominterpretatie leunen zwaar op de symboliek. In dromen is niet alles zoals het op het eerste gezicht lijkt. Droomwoordenboeken bieden vaak 'een definitie' van de symbolen. Maar als je een paar van zulke boeken hebt doorgebladerd, valt je algauw op dat er niet zoiets is als een definitie voor een droomsymbool. Er is wel een aantal klassieke symbolen - zoals huizen, mensen, vliegen en naakt zijn in het openbaar - waarover een bepaalde overeenstemming bestaat. Maar uiteindelijk is iedere droom een soort persoonlijke reis en de betekenis kan het best verklaard worden door de dromer zelf.

De Freudiaanse opvatting

De vader van de moderne westerse droomanalyse is onbetwistbaar de Weense neuroloog Sigmund Freud (1856-1939). Freud beweerde dat 'de interpretatie van de droom de koninklijke weg tot kennis van het onderbewuste' was.

Freud zag de geest als zijnde verdeeld in het onderbewuste, dat hij het 'id' noemde - waar chaos, de lagere instincten en amoraliteit zetelen - en het bewuste, het 'ego', dat ons orde en rede oplegt. Hij noemde ons geweten, dat oordeelt over goed en kwaad, het 'superego' en veronderstelde dat het ego orde en moraliteit bewaakt tijdens ons wakend leven en de verlangens van het 'id' onderdrukt. Tijdens de slaap verliest het 'ego' echter zijn controle en maakt het 'id' zijn verlangens duidelijk via de droom. Hij dacht dat deze verlangens zó verwarrend en mogelijk schadelijk kunnen zijn dat het ego een soort censuur op de verstorende elementen uitoefent en ze de dromer daarom in de vorm van symbolen aanbiedt. De symbolische taal van de droom zou de sleutel bevatten tot de geheimen van het onderbewuste. Freud moge nu dan uit de gratie zijn, zijn werk blijft toch van monumentaal belang voor de droomanalyse.

De Jungiaanse opvatting

De Zwitserse psycholoog Carl Jung (1875-1961) werkte aanvankelijk nauw met Freud samen voordat hun wegen zich in 1913 scheidden. Jung ontwikkelde zijn eigen psychologische benadering die hij de analytische psychologie noemde, een visie waarin mythe, mystiek, religie, metafysica en symboliek een grote rol speelden. Hij meende dat een aantal algemene psychologische thema's door alle eeuwen en culturen heen zijn waar te nemen, en dat wij allen het bewuste en het persoonlijk onderbewuste in ons hebben, ongeveer overeenkomend met Freuds ego en id. In plaats van in een streng superego, geloofde hij in het bestaan van het collectief onderbewuste (de archetypen).

Voor Jung was dit de diepste laag van de geest, een soort algemeen psychologische poel waarin alle mensen ter wereld ondergedompeld worden. De dromen die uit dit collectief onderbewuste stammen noemde hij 'grote dromen' die toegang geven tot het 'enorme historische erfgoed van het menselijk ras'. Jung geloofde dat dromen de sleutel vormden tot het ontdekken van de hogere regionen van het bewuste, van spiritualiteit en liefde.

Jung meende dat het collectief onderbewuste bestaat uit 'oerbeelden, die de menselijke geest zijn ingeboren' en die hij de archetypen noemde. Het begrijpen van de archetypen zou ons in staat stellen de taal van onze dromen te interpreteren en persoonlijke van universele dromen te onderscheiden. Een aantal van die archetypen vindt u op bladzijde 47.

De belangrijkste Jungiaanse archetypen

Jung geloofde dat bepaalde oerbeelden, die een symbolische betekenis hebben, gebruikt kunnen worden bij het interpreteren van onze dromen. De verschijning van één of meer van deze archetypische beelden in een droom, heeft volgens de Jungiaanse visie, een universele betekenis.

De persona

Het beeld dat wij de wereld laten zien, niet ons 'echte zelf'. In dromen verschijnt zij als een gedaante. Als wij persona en echte zelf niet uit elkaar kunnen houden, kan het op een ongewenste figuur lijken. Naakt zijn in een droom kan verlies aan persona symboliseren.

De schaduw

De instinctieve of zwakkere kant van onze natuur die negatieve reacties als angst en boosheid oproept. Als hij in onze dromen verschijnt kan dat betekenen dat wij meer controle over onze zwakheden zouden moeten krijgen.

Animus en anima

De mannelijke en vrouwelijke aspecten van ieders persoonlijkheid. De anima is de vrouwelijke kant van de man, vaak voorgesteld als een prachtige of goddelijke gedaante. De animus staat voor de mannelijke kant in de vrouw, en wordt weergegeven door een goddelijke, heroïsche of machtige man.

Het goddelijk kind

Het kind binnen in ons, symbool van het echte zelf. De verschijning van een kind of een baby in een droom suggereert kwetsbaarheid, maar ook frisheid, spontaniteit en onvermoede mogelijkheden. Contact leggen met het kind kan ons in contact brengen met ons ware zelf.

De wijze, oude man

Een vader, priester, leraar of andere autoriteit. In een droom kan de wijze, oude man het zelf voorstellen. Maar hij wordt ook gezien als een 'mana' gedaante, een machtige figuur die ons naar ons hoger zelf kan leiden, maar die ook de mogelijkheid heeft om ons ervan weg te voeren.

De grote moeder

Een symbool van groeien, voeden en vruchtbaarheid, maar ook van verleiding, bezit en dominantie. De grote moeder kent vele verschijningsvormen: als een moeder, priesteres, prinses of heks, verleidster of afschrikwekkende moeder.

Recente ontwikkelingen in de interpretatie van dromen

Veel moderne droominterpretatie is nog gebaseerd op het pionierswerk van Freud en Jung, maar is ook beïnvloed door het werk van de Amerikaanse psychiater Fritz Perls (1893-1970), de vader van de Gestalttherapie. Perls dacht dat symbolen een product van onze ervaring zijn. Hij meende ook dat iedere personage in een droom aspecten in onszelf vertegenwoordigt waarvan wij ons in wakende toestand niet bewust zijn. Hij beschouwde dromen als een product van emotioneel niet-afgehandelde zaken die er als het ware om vragen alsnog verwerkt te worden. Onze droomsymboliek zou dan een persoonlijk vocabulaire van de geest van de dromer zijn, en niet iets wat van universele betekenis is.

De Zwitserse psychiater Medard Boss (1903) opperde dat dromen gewoonlijk op een letterlijk, niet op een symbolisch niveau geïnterpreteerd kunnen worden. Voor Boss is er geen universele moraal waarop wij kunnen terugvallen: een droom onthult simpelweg de opvattingen, relatievormen en het gedrag van de dromer zelf.

Sommige psychologen die überhaupt niets zien in droominterpretatie, denken gewoon dat de hersenen tijdens de slaap een serie willekeurige golven produceren en daar een zinnig verhaal van proberen te maken. Een vergelijkbare theorie gaat ervan uit dat de hersenen tijdens de slaap alle gebeurtenissen, gedachten en activiteiten van de voorgaande dag met elkaar in verband brengen en dat wij ze dan als zodanig in het geheugen opslaan. Met andere woorden, de droom als geheugensteun. Weer een andere theorie vergelijkt de hersenen met een computer waarin dromen als grotendeels nutteloze informatie worden opgeborgen om ruimte te maken voor de informatie die wij van dag tot dag nodig hebben.

De Ayurveda

Ayurvedische teksten brengen dromen in verband met de drie *dosha's*. Een plotselinge verandering in het type droom dat je gewoonlijk hebt kan op een onbalans in de *dosha's/* wijzen. Als dromen opeens een *pitta*-karakter vertonen, bijvoorbeeld, kan dat een toegenomen *pitta*-energie betekenen. Volgens de Ayurveda zijn dromen zowel een reactie op wat er die dag gebeurd is als een uiting van onvervulde verlangens. De droomsymboliek kan in deze optiek én persoonlijk én universeel zijn - een opvatting die ook Freud en Jung aanhingen.

De traditionele Chinese benadering

In de Chinese filosofie vormt de droomanalyse een integraal deel van de medische diagnose. Dromen die je niet bang maken, je slaap verstoren of waaruit je de volgende dag niet verward ontwaakt, worden als normaal beschouwd. Maar nachtmerries of dromen waaruit je moe wakker wordt, worden als 'buitensporig' gezien en als een uitvloeisel van een pathologische toestand.

Het traditioneel Chinese medische systeem ziet de mens als een combinatie van verschillende typen energie. Energie wordt in het lichaam door een systeem van meridianen gedistribueerd, een netwerk van onzichtbare kanalen. Het type droom dat iemand heeft wordt bepaald door de energiebalans in de organen en meridianen. Een droom waarin bijvoorbeeld een huis gebouwd wordt, is een teken van ontoereikendheid van de milt, hetgeen zich kan manifesteren als vermoeidheid en gewichtsproblemen.

Volgens traditionele Chinese opvattingen, corresponderen alle uren van de dag en de nacht met een bepaald orgaan en gevoel. Het tijdstip waarop de droom plaatsvindt is hierbij een belangrijke aanwijzing. Dromen die je tussen 3 en 5 uur 's ochtends hebt, het begin van de spirituele dag, hebben bijvoorbeeld te maken met de longen en met droefheid en verdriet. Op dit tijdstip kunnen dromen bepaalde ademhalingsmoeilijkheden veroorzaken en gevoelens van verlies naar boven halen. Ze kunnen van spirituele aard zijn.

Droomthema's in de Ayurveda

Vata-mensen schijnen verbeeldingsvolle, actieve dromen te hebben en als deze *dosha* uit balans is, kan dat angstige dromen opleveren. Bij dit type mens wordt angst uigedrukt in dromen vol beweging zoals vallen, achtervolgd worden, of proberen weg te rennen.

Pitta-types hebben meestal dromen vol actie en avontuur. Als de *pitta* uit balans is, kan dat boze en conflictueuze dromen tot gevolg hebben.

Kapha-mensen schijnen heel rustig verlopende dromen te hebben die ze zich zelden herinneren. Het is bijvoorbeeld typisch *kapha* om van meren of oceanen te dromen.

Wat dromen onthullen

De inhoud van dromen kan inzicht geven in de manier waarop het onderbewuste met bepaalde ervaringen omgaat. Interpretatie is voornamelijk subjectief. Als u uw dromen gaat ontleden, kan het zijn dat u op steeds weerkerende thema's of beelden stuit die te maken hebben met gebeurtenissen of met uw gemoedstoestand. Deze thema's kunnen alleen voor u van belang zijn, maar ook een meer universele betekenis hebben. Sommige emoties of situaties die zeer levendige dromen tot gevolg kunnen hebben, worden op de volgende bladzijden besproken, met de klassieke droombeelden die psychologen als onderbewuste uitingen van dergelijke emoties bestempelen.

Angst

Angst wordt in dromen in het algemeen uitgedrukt door vallen, verdrinken, achtervolgd worden, en pogen te ontsnappen terwijl de dromer zich als aan de grond genageld voelt. Soms onthullen de dromen ons de aard van die angst. Een droom over een taak die maar nooit gedaan lijkt te gaan worden, kan duiden op overwerkt zijn. Sommige mensen merken dat een bepaalde droom in tijden van stress steeds terugkomt. En mensen die al heel lang geleden een examen hebben moeten doen, kunnen nog steeds dromen dat zij voor een examen staan waarop zij zich niet goed voorbereid hebben.

Verandering en identiteit

Belangrijke veranderingen zoals een verhuizing of een huwelijk kunnen invloed hebben op het onderbewuste. Bekende veranderingssymbolen zijn bruggen en drempels. Dromen over veranderingen in uw uiterlijk of uw huis kunnen staan voor veranderingen in uw leven of uw identiteit. De weg kwijt zijn in een onbekende omgeving kan staan voor angst voor een verhuizing. Maar de weg kwijt zijn in de mist, een labyrint of in een netwerk van straten, kan ook een verlies van richting in het leven beduiden. Gevoelens van verdriet over veranderingen kunnen in een droom betekenen dat u nog niet klaar bent voor een verandering in het werkelijke leven. Gevoelens van geluk, daarentegen, kunnen het tegenovergestelde betekenen.

Onderdrukte gevoelens

Dromen over agressie ten opzichte van de mensen om u heen kunnen voor onderdrukte boosheidsgevoelens staan. Een aantal psychologen zou die agressie interpreteren als een verlangen de bron van uw verontrustende gevoelens aan te pakken, in plaats van als een verlangen die persoon werkelijk kwaad te doen of te vermoorden.

Geluk

Gelukkige dromen kunnen zich concentreren op plezierige ervaringen of bekende gelukssymbolen, maar ze kunnen ook de vorm aannemen van meer abstracte symbolen als helder licht, vibrerende kleuren, of een gevoel van verwondering. Licht staat traditioneel voor spirituele verlichting. Van een regenboog dromen, een joods-christelijk symbool van de hoop, lijkt succes te symboliseren. Bij de aborigines van Australië is de regenboog een teken van spirituele transformatie.

Succes en mislukking

Tot de dromen die met succes te maken hebben behoren dromen over een race winnen, een muur beklimmen, een gevecht of een prijs winnen. Eigenlijk kan het overwinnen van welk obstakel dan ook betekenen dat u het vertrouwen bezit om datgene wat u van succes afhoudt te overwinnen. Als u droomt dat u tegen mensen praat die u niet kunnen verstaan, lijkt dat op gevoelens van ontoereikendheid of faalangst te duiden. Andere soortgelijke dromen: u klopt op een deur en niemand geeft antwoord, of u bent onzichtbaar. Hoewel dromen van succes en falen betrekking kunnen hebben op werkelijke gebeurtenissen, hebben ze meestal meer te maken met de gemoedstoestand van de dromer.

Dood en smart

In de droomsymboliek kan de dood geïnterpreteerd worden als het einde van een fase en daarom als een positief teken van wedergeboorte worden gezien. Smart, die in het wakend leven niet geuit wordt, kan in dromen een uitlaat vinden. Het is niet ongewoon om van een dode vriend of een dood familielid te dromen. Zulke dromen kunnen ons troosten of in de war maken al naar gelang de sfeer en de gebeurtenissen in de droom. Ze kunnen prettig weemoedig zijn en dan hebben zij een helende werking. Dromen waarin de overledene niet echt dood is, maar in de val zit of levend begraven, boos op ons is of naar huis probeert te komen, kunnen ons in de war maken, maar als we deze gedachten in dromen de vrije loop kunnen laten, kan dat tot een gezonde uiting van verdriet leiden.

Seks

Dromen over seks komen heel veel voor, vooral tijdens de adolescentieperiode. Vaak over seks dromen kan wijzen op een verhoogde geslachtsdrift, maar ook gewoon een teken van seksuele frustratie zijn. Seks houdt ons natuurlijk ook veel bezig in
ons wakend leven en onze bewuste gedachten zetten zich, im-
pliciet of expliciet, op natuurlijke wijze in onze dromen voort.
Freudianen neigen ertoe in iedere ritmische activiteit als een
paard berijden of in een roeiboot roeien seks te zien.

Aan bepaalde symbolen wordt een seksuele betekenis toege-
kend: een mes zou dan voor de penis staan, terwijl een porte-
monneetje de vrouwelijke geslachtsorganen kan voorstellen.
Carl Jung geloofde dat zelfs expliciet seksuele dromen op een
hoger creatief niveau uitgelegd konden worden.

Spiritualiteit

Zonder mechanische hulpmiddelen in staat zijn te vliegen kan gezien
worden als een symbool van het boven de realiteit uitstijgen of van
het hogere zelf bereiken. In veel culturen gelooft men in astraal reizen (een droom waarin men buiten het lichaam treedt). Sjamanen in
Afrika en Australië beweren hun roeping gevonden te hebben door
dromen waarin zij door de lucht vliegen of geesten ontmoeten. De
ervaring van het astrale reizen wordt als net zoiets als het uittreden
van de ziel bij de dood gezien. Maar tijdens het dromen blijven wij
aan ons fysieke lichaam vastzitten door middel van een zilveren
koord, dat bij de dood wordt doorgesneden. Elke manier van ergens
opklimmen wordt als spirituele vooruitgang beschouwd.

Dromen en ons wakend leven

Dromen mogen dan een uitvloeisel zijn van de emotionele inhoud van ons wakend leven, andersom kan de emotionele ervaring die wij in de droom opdoen ons bewuste bestaan beïnvloeden. De Senoi in Maleisië bijvoorbeeld, moedigen een gezonde emotionele ontwikkeling bij hun kinderen aan door ze te leren zich actief met hun dromen bezig te houden. Zij leren dapper te zijn door in hun dromen de confrontatie met gevaar aan te gaan en ze worden verstandig door te luisteren naar droomuitleggers.

Gedroomde emoties wekken wezenlijke fysiologische veranderingen op. Zeer levendige dromen kunnen een onregelmatige hartslag en ademhaling veroorzaken of een toename van het maagzuur, ze roepen een zelfde effect op als vrees, angst en opwinding in het wakend leven. Angst leren overwinnen of geluk in een droom ervaren kan ons in staat stellen dat ook in het werkelijke leven te verwezenlijken, omdat daarbij gezonde emotionele reacties worden opgewekt.

Een derde bewustzijnsniveau

Het feit dat de REM-slaap merkbaar verschilt van zowel de NREM-slaap als van de waaktoestand, doet vermoeden dat, wat er tijdens de REM-slaap gebeurt, een speciale functie heeft. Sommige Amerikaanse slaaponderzoekers beweren zelfs dat de REM-slaap noch slapen noch waken is, maar een derde vorm van het menselijk bestaan. Wetenschappelijk onderzoek schijnt hen tot dezelfde conclusie gedreven te hebben als wat de Ayurveda al sinds duizenden jaren leert. De Ayurveda gaat er namelijk vanuit dat het menselijk bewustzijn uit verscheidene lagen bestaat, waaronder waken, droomloos slapen, dromen, en de vreugde die met geestelijke verlichting komt. De gedachte dat dromen eigenlijk een derde niveau van bewustzijn is, verklaart ook dat dromen daadwerkelijk gebruikt kunnen worden, niet alleen voor geestelijke en lichamelijke gezondheid, maar ook als een sleutel tot de spirituele wereld. Misschien hebben alle dromen wel iets van waarde in zich, als we maar in staat zouden zijn ze ons te herinneren en ze te begrijpen.

We mogen dan de mogelijkheid

Leren tijdens de slaap

In de jaren zestig geloofden veel mensen dat slapen een verspilling van tijd was die beter aan leren besteed kon worden. Dus probeerde men in de slaap te leren, bijvoorbeeld door middel van educatieve tapes. Het leverde een teleurstellend resultaat op: alle informatie die zo werd opgenomen vervaagde even snel als een droom. Bovendien merkte men dat het leren tijdens de slaap het spontane dromen belemmerde en het concentratievermogen overdag beïnvloedde.

onze dromen te gebruiken verloren hebben, het is een vaardigheid die zeer zeker weer aangeleerd kan worden. Velen hebben zich tot de wijze, oeroude overleveringen zoals het boeddhisme en de ideeën van de inheemse bevolking van Amerika gewend om te leren weer met dromen te werken. In toenemende mate begint men in het westen weer in de kracht van het onderbewuste te geloven en die te gebruiken ten behoeve van het geestelijk en lichamelijk welzijn, ter meerdere controle over het eigen leven. Hypnose, een techniek die de krachten van het onderbewuste aanboort en gebruikt om pijn en ziekte te bestrijden en zelfs celvernieuwing te stimuleren, is een van de vele manieren die gebruikt worden om dit nog bijna onontdekte terrein te verkennen.

Ontdekkende dromen

Van Elias Howe, de man die de naaimachine uitvond, wordt gezegd dat hij eerst niet wist hoe hij het gaatje waar de draad doorheen moet, plaatsen moest. Op een nacht droomde hij van speren werpende Afrikanen. In het uiteinde van iedere speer zat een oogvormig openingetje. Toen hij wakker werd wist Elias precies waar hij het gaatje in de naald moest plaatsen.

Dromen en ziekten

De oude Grieken dachten al dat dromen ons belangrijke informatie over onze gezondheidstoestand konden verschaffen. Dit idee klinkt niet alleen door in traditionele oosterse opvattingen, maar wordt ook aangehangen door moderne droomonderzoekers. Het feit dat tijdens de REM-slaap veranderingen in ademhaling, hartslag en andere fysieke (stress)verschijnselen optreden, hebben bij sommige onderzoekers het idee doen postvatten, dat er een verband tussen dromen en ziekten die met stress te maken hebben zou kunnen zijn. Dromen zouden ons kunnen waarschuwen voor de aanwezigheid van organische ziekten, het startsein tot een ziekte kunnen zijn of het verloop van een psychosomatische ziekte kunnen aangeven.

Nachtelijke aanvallen van migraine en astma worden met de REM-slaap in verband gebracht. Ademhalings- en hartproblemen plegen vooral na emotionele dromen voor te komen. Mensen met zweren aan de twaalfvingerige darm scheiden tijdens de slaap aantoonbaar meer maagzuur af dan mensen zonder dat soort zweren.

Onderzoek heeft ook uitgewezen dat bepaalde droomthema's de aanwezigheid van bepaalde ziekten aangeven. Dromen over dood en doodgaan door mannen en dromen van scheiding (zoals echtscheiding of gescheiden zijn van een kind) door vrouwen wijzen op de aanwezigheid van een organische ziekte, vooral hartziekten. Angstdromen houden verband met migraine, en dromen over verloren rijkdom blijkt dementie aan te duiden. Een onderzoek toonde aan dat mensen die beweerden dat zij nooit droomden, het hoogste sterftecijfer vertoonden. Uit dit soort onderzoeken concluderen sommige droomonderzoekers dat dromen ons soms waarschuwen voor bepaalde lichamelijke of geestelijke ziekten maar dat zij verdwijnen als de ziekte kritiek wordt.

Een probleemoplossende droom opwekken

♦ Bestudeer het probleem overdag en vertel uzelf dat u de oplossing gaat vinden.

♦ Als het probleem u overdag telkens weer in gedachten komt, zegt u tegen uzelf dat u niet moet piekeren want dat u het antwoord wel in uw dromen zult vinden.

♦ Ga met een duidelijk beeld van het probleem voor ogen slapen en zeg in gedachten dat u een antwoord verwacht.

♦ Probeer uw droom onmiddellijk na het wakker worden terug te roepen.

♦ De boodschap van de droom is misschien niet duidelijk, maar probeer u alle beelden te herinneren. Door alle aanwijzingen te volgen, komt u wellicht tot een oplossing.

Het gebruik van dromen

De boeddhisten in Tibet geloven dat wij door ons geestelijk leven te bevorderen onze dromen beter kunnen sturen en van ze kunnen leren. Sommige boeddhistische leraren en pupillen schijnen zó verlicht te zijn dat zij in hun dromen aan elkaar kunnen verschijnen om over belangrijke zaken te discussiëren. De volgende morgen weten beiden wat ze in de droom besproken hebben.

Onder de oorspronkelijke bevolking van Amerika werd de vastbeslotenheid van de dromer als beslissend voor een geslaagde droomervaring beschouwd. Als in een droom informatie of een bepaalde leidraad werd gewenst, moest een heel sterke wil aanwezig zijn.

De concentratie van de wil werd versterkt door vasten, meditatie, gebed en afzondering. Modern droomonderzoek bevestigt dat deze elementen ons vermogen tot dromen inderdaad kunnen vergroten. Een dag die rustig en beschouwend wordt doorgebracht kan onze normale hoeveelheid REM-slaap verdubbelen en mogelijk rijkere dromen opleveren.

Problemen oplossen

Het algemeen geloof dat 'er een nachtje over slapen' een probleem kan helpen oplossen, geeft al aan dat wij dromen zowel op letterlijk als symbolisch niveau kunnen gebruiken om zaken uit te zoeken waar wij op bewust niveau niet mee uit de weg kunnen. Als u met iets worstelt dat u nerveus maakt en uw slaap verstoort, vraagt dat om een oplossing en het zou best kunnen dat u daar uw dromen bij kunt gebruiken. Psychologen die geloven dat het onderbewuste doorgaat met aan een probleem te werken als het bewuste niet meedoet, noemen dit proces een 'incubatie'proces. Veel mensen die met dromen werken geloven dat we deze 'uitgebroede' gedachten in ons voordeel kunnen laten werken.

Een beroemd voorbeeld van de geslaagde oplossing van een probleem door middel van een droom is die van de Duitse geleerde Friedrich Kekulé, aan wie in een droom de benzeenring werd geopenbaard. Kekulé had al lang wanhopig geprobeerd de moleculaire structuur van benzeen te doorgronden toen hij in slaap viel en begon te dromen van moleculen die voor zijn ogen dansten. De moleculen bleven maar steeds in verschillende patronen vallen, tot zij eindelijk samen een ring vormden - de oplossing voor zijn probleem!

Lucide dromen

Tijdens een lucide droom beseft de dromer dat hij droomt en gebruikt hij dat besef om zijn droom als het ware te sturen. Er wordt wel gezegd dat spiritueel ontwikkelde mensen in staat zijn bewust te bepalen wat zij in de droom gaan doen en dat dat van enorme waarde voor hun spirituele leerproces is. Lucide dromen schijnen reëler over te komen dan andere soorten dromen en onze zintuigen van smaak, geur, geluid en zien zijn op dat moment scherper. Mensen die zich de techniek hebben eigen gemaakt, schijnen zelfs in staat te zijn anderen in hun dromen op te zoeken om ze raad of troost te geven. Droomtherapeuten beweren dat wij allemaal door oefening en geduld kunnen leren de gebeurtenissen in onze dromen bewust te sturen. De sleutel daartoe zou zijn, jezelf aan te leren bewust en onderbewust denken te onderscheiden. Onderzoek schijnt erop te wijzen dat lucide dromers gemiddeld minder neurotisch en depressief zijn.

Dromen over vorige levens

In culturen waarin dromen op hun waarde worden geschat, gelooft men vaak in reïncarnatie. Mensen die met dromen werken en in wedergeboorte geloven, zeggen dat de ziel door middel van het onderbewuste toegang heeft tot de vaardigheden en kennis van vorige levens.

Hoe u een lucide droom kunt opwekken

♦ Meditatie bevordert de concentratie en helpt u te onderkennen wanneer u droomt. Als u zich meer bewust wordt van wat echt is, zult u ook de gedroomde wereld beter herkennen.

♦ Test uzelf overdag: hoe weet u dat u nu niet droomt? Bijvoorbeeld doordat u merkt dat mensen niet vliegen of in monsters veranderen of dat u, als u wilt vluchten, niet als aan de grond genageld staat.

♦ Als u op het punt staat in slaap te vallen vertelt u uzelf herhaaldelijk 'ik weet wanneer ik droom'. U hebt een beeld van uzelf als waarnemer van uw eigen droom.

♦ Teken uw dromen op. Als u de dromen zelf begint te herkennen, kunt u met uw dromen gaan werken.

Profetische dromen

Dromen die de toekomst voorspellen kunnen in de categorie 'grote' dromen vallen, omdat zij van belang voor een gemeenschap als geheel zijn, of ze kunnen een 'kleine' droom zijn omdat zij slechts betekenis hebben voor de dromer zelf. Volgens droomonderzoekers komen dromen over gebeurtenissen die nog plaats moeten vinden veel voor en kan het onderbewuste deze gebeurtenissen op dezelfde manier benaderen als het dat bij informatie uit het verleden doet. Nu en dan horen wij van mensen die in staat zouden zijn te dromen van een ramp die op het punt staat te gebeuren of van de vindplaats van een vermiste. Deze mensen zeggen dan dat zij de gebeurtenis 'zien' alsof het al voorpaginanieuws is. Onderzoekers van het Maimonides Droomlaboratorium in New York kwamen tot verbazingwekkend positieve resultaten toen zij de nauwkeurigheid van de voorspellende dromen nagingen.

Reïncarnatietherapie wordt soms gebruikt voor de behandeling van fysieke en psychologische problemen die, naar wordt geloofd, in vorige levens werden veroorzaakt. Dromen van vorige levens vormen echter niet een hard bewijs dat de dromer al eerder heeft geleefd; zij kunnen gewoonweg informatie zijn die de dromer heeft verkregen omdat hij zich heeft ondergedompeld in het collectief onderbewuste. Maar wat u persoonlijk ook gelooft, dromen kunnen een heilzame werking hebben. Mensen die beweren dat ze van vorige levens hebben gedroomd, zeggen dat deze dromen spectaculaire verklaringen kunnen bieden voor telkens terugkerende pijnen, kwalen, ziekten of angsten.

Nachtmerries

Iedereen weet hoe het voelt om akelig te dromen. Dacht men vroeger dat het boze geesten waren die ons dan bezochten, tegenwoordig denkt men dat nachtmerries uitingen zijn van angst of onderdrukte gevoelens van vrees, schuld of verdriet. Veel mensen hebben nachtmerries na een bepaalde traumatische gebeurtenis in hun leven. Drugs en alcohol kunnen ook nachtmerries in gang zetten. Bij kinderen worden ze meestal door angsten omtrent school of gezinsleven veroorzaakt. Televisieprogramma's, enge verhalen en serieuze kwesties als een scheiding, verwaarlozing en misbruik kunnen ook de oorzaak zijn.

Nachtmerries dwingen ons vaak om bepaalde dingen onder ogen te zien die wij eerder uit de weg zijn gegaan. Ze bevatten dan ook een boodschap die dwingend vraagt gehoord te worden. Als het onderbewuste er zo bij ons op aandringt om een bepaalde kwestie aandacht te geven, is het vaak gezonder er een oplossing voor te zoeken dan het te blijven vermijden. De psycholoog David Fontana zegt dat we nachtmerries in ons voordeel kunnen laten werken als we erkennen dat de angst die nachtmerries veroorzaken, eerder uit onze eigen reactie voortkomt dan uit iets wezenlijk kwaadaardigs in de droom zelf. Mensen die steeds terugkerende nachtmerries hebben, merken vaak dat het werken ermee ervoor zorgt dat ze verdwijnen.

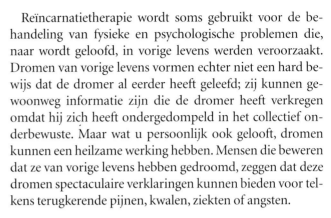

Het verwerken van nachtmerries

♦ Door de symbolen te interpreteren kunt u de inhoud van uw droom misschien relateren aan uw eigen angsten of emoties.

♦ Als u een serie nachtmerries hebt, moet u eens het verband ertussen proberen te zoeken en de onderbewuste boodschap ontcijferen.

♦ Ontdoe de nachtmerrie van zijn angstaanjagendheid door te leren in uw dromen de confrontatie met gevaar aan te gaan. Vertel uzelf voor u slapen gaat, dat droompersonages u geen kwaad kunnen doen en dat u alles wat u maar zal achtervolgen of aanvallen, áán zult kunnen.

♦ Een kind dat bijvoorbeeld van een monster droomt kan de angst leren hanteren door het in een kooi te tekenen.

Schrijf uw dromen op

Als u met uw dromen wilt werken, moet u ze opschrijven. Sommige mensen herinneren zich hun dromen nooit, andere zijn ze vlak na het opstaan alweer vergeten. Zelfs dromen die ons bij het wakker worden nog heel levendig voor de geest staan, vervagen gedurende de dag. Dit komt misschien omdat sommige dromen te pijnlijk zijn voor de herinnering. Een andere theorie is dat de toestand van slapen verhindert dat wij ons dingen op de normale manier kunnen herinneren. Aanhangers van de droominterpretatie beweren echter dat het mogelijk is je wel vijf dromen per nacht te herinneren.

Een droomdagboek bijhouden

Als u 's ochtends vroeg ook maar even wordt afgeleid, bent u uw droom alweer vergeten. Zet de wekker en neem u voor als eerste aan uw droomdagboek te werken. Noteer de datum van iedere droom, schrijf uw gevoelens op, en vergeet ook de bijzonderheden van de droom niet. Tekenen kan spontaner werken dan het bundelen van uw gedachten in proza. Het tekenen van de droombeelden zou daarom wel eens de beste manier kunnen zijn om de essentie van uw droom te vatten. Waarschijnlijk zult u verscheidene dromen moeten optekenen vóór u eventuele onderlinge thema's kunt ontdekkken.

Controlelijst droomdagboek

Schrijf alle gebeurtenissen in uw droom in de juiste volgorde op.

♦ Beschrijf alle personages (ook dieren) in uw droom. Wie waren het? Wat deden ze of zeiden ze? Hoe zagen ze er uit? Waren het fantasiefiguren?

♦ Schrijf nauwkeurig de inhoud van eventuele gesprekken in de droom op.

♦ Beschrijf de achtergrond van de droom. Leek de omgeving echt of was het fantasie? Als het een vertrouwde plek was, zoals uw keuken, was het dan een getrouwe kopie van uw keuken?

♦ Maak een lijst van alle voorwerpen, tekens en symbolen, echt en niet-echt, en probeer de kleuren op te schrijven.

♦ Beschrijf de sfeer waarin de droom plaatsvond en het effect dat die sfeer op u had. Schrijf eventuele veranderingen in uw stemming op en hoe u zich voelde bij het wakker worden.

DEEL TWEE

De wereld van de slapeloosheid

O slaap! O zoete slaap!
Zachte verzorgster van de Natuur, hoezeer
heb ik u angst ingeboezemd, dat gij mijn
oogleden niet meer wilt verzwaren…

William Shakespeare
1564-1616

Hoofdstuk 5

De vijanden van de slaap

Het menselijk lichaam is zo ontworpen dat wij 's nachts slapen om overdag des te creatiever en productiever te kunnen zijn. In de 'ontwikkelde' maatschappijen van het einde van de 20ste eeuw, echter, ervaren wij in plaats van regelmatig afwisselende perioden van energieschenkend zonlicht en rustgevende duisternis, dag en nacht het meedogenloze schijnsel van kunstlicht. We maken lange, vaak onregelmatige dagen op het werk en stress houdt onze lichamen in een voortdurende staat van waakzaamheid, die vaak niet met (heilzame) lichamelijke inspanning afgewisseld wordt. Voeg hier nog geluidsoverlast aan toe, onverstandige voeding, roken, een overmatig gebruik van alcohol, gebrek aan lichaamsbeweging, en je kunt alleen nog maar verbaasd zijn dat we überhaupt nog slapen.

De oorzaken van slapeloosheid

Er is geen twijfel aan of de manier waarop wij leven is van invloed op de kwaliteit van onze nachtrust. De factoren in onze dagelijks routine die die kwaliteit beïnvloeden, worden de 'slaaphygiëne' genoemd.

Het in acht nemen van een goede slaaphygiëne kan een geweldige verbetering voor de nachtrust betekenen, maar lost een chronisch slaapprobleem niet altijd geheel op. Slaapstoringen worden maar zelden alleen door externe factoren veroorzaakt. Geluid kan er bijvoorbeeld de directe oorzaak van zijn dat u 's nachts wakker wordt, maar uw gepieker over de vraag of u uw werk wel tijdig af zult krijgen is de echte boosdoener. Te veel alcohol kan uw slaap weliswaar verstoren, maar geldzorgen zijn er misschien de oorzaak van dat u te veel drinkt. Ook al is het dus belangrijk te voorkomen dat externe factoren u verhinderen goed te slapen, zorg ervoor dat u de onderliggende oorzaken van het probleem niet verwaarloost.

Verstoring van de biologische klok

Onze moderne leefwijze wordt eerder bepaald door de noodzaak geld te verdienen dan door het ritme van de natuur en dit kan zijn tol eisen wat ons slaappatroon en, uiteindelijk, onze gezondheid betreft. Ploegendiensten, reizen rond de wereld en feesten tot in de kleine uurtjes veroorzaken allemaal een verstoring van de biologische klok en dus een verstoord slaappatroon. Verscheidene studies hebben aangetoond dat een verstoring van de slaaproutine een ongezond effect op zowel lichaam als geest heeft.

Ploegendienst

Mensen die in ploegendienst werken leven nooit in harmonie met hun lichaam en voelen zich zelden zo fit of werken zo goed als zij met een normaal werkschema zouden doen. Mensen die 's nachts moeten werken zijn vaak minder efficiënt, altijd moe, snel prikkelbaar en kunnen slecht beslissingen nemen, hetgeen de kans op fabrieksongelukken en beoordelingsfouten vergroot. In theorie past het circadiaanse ritme zich wel aan een nieuwe routine aan, maar in de praktijk zijn mensen die in ploegendienst werken nooit in staat zich echt aan te passen. Dit komt doordat zij op rustdagen geneigd zijn op een normale dagindeling over te gaan en ook omdat dan de *Zeitgebers*, met name het zonlicht, de biologische klok weer bepalen. Daarbij komt dat bepaalde lichaamsritmen, vooral de schommelingen in lichaamstemperatuur, zich niet aan het werken 's nachts aanpassen.

Daardoor verandert ook het slaappatroon. Mensen die 's nachts werken slapen, naar is gebleken, langer dan zij die op normale uren werken, maar telkens voor kortere perioden, hetgeen de slaapkwaliteit nadelig beïnvloedt. Zij krijgen bijvoorbeeld minder REM-slaap, verkeren langer in de eerste, lichte slaapfase, en worden vaker wakker. Zelfs als zij erin slagen genoeg diepe slaap te krijgen, worden ze toch vaak niet verkwikt wakker omdat hun hormonen elkaar tegenwerken (zie bladzijde 26). Iemand die in ploegendienst werkt en om 8 uur 's ochtends in een diepe slaap valt, zal nog steeds het groeihormoon produceren omdat dat tijdens de diepe slaap vrijkomt, maar hij of zij zal ook de hormonen van overdag produceren, dus adrenaline en corticosteroïden, omdat hun aanmaak niet door de slaap bepaald wordt. Deze botsing van elkaar tegenwerkende hormonen

Adviezen voor mensen in ploegendienst

Er zijn manieren om slaperigheid en de daaruit voortvloeiende effecten te voorkomen:

♦ Doe een dutje vóór u aan uw ploegendienst begint.

♦ Zorg regelmatig voor voldoende lichaamsbeweging.

♦ Drink geen alcohol, vooral niet vlak voor het werk.

♦ Raadpleeg uw dokter op welke tijd u het beste eventuele medicijnen kunt innemen.

♦ Werk in helder, liefst continu spectrum licht.

♦ Zorg voor een goede slaaphygiëne, zoals in deel drie beschreven wordt.

heeft tot gevolg dat het lichaam onvoldoende herstelt en groeit, en dat de slaap niet echt verkwikkend is.

Jetlag en onregelmatige slaaptijden

Een jetlag, maar ook het op onregelmatige tijden opstaan en naar bed gaan beïnvloeden gezondheid en vitaliteit op een soortgelijke wijze als het werken in ploegendienst. Vooral de jetlag kan tot een verstoorde biologische klok leiden. Slaperigheid overdag en slecht in slaap komen in de nacht, zich niet fit voelen, hoofdpijn, verminderde eetlust, een ontregelde stoelgang, en onvermogen tot zich concentreren zijn de opvallendste kenmerken. De symptomen zijn erger bij het vliegen van het westen naar het oosten omdat de tijd dan vooruit verschuift terwijl het circadiaanse ritme achterblijft. Naarmate meer tijdzones overschreden worden, verergeren de symptomen. Er is ook een nadelig effect op de kwaliteit van de slaap. De diepe slaap vindt dan niet plaats aan het begin van de nacht, maar komt bij stukjes en beetjes door de hele slaapperiode heen. Daardoor lijkt het of we slechter slapen.

Hoe een jetlag te bestrijden

U kunt de symptomen van een jetlag bestrijden en de aanpassing versoepelen door het volgende in acht te nemen wanneer u over tijdzones vliegt:

♦ Neem als het enigszins kan een nachtvlucht en probeer toch te slapen.

♦ Eet in het vliegtuig alleen wat licht voedsel.

♦ Drink tijdens de vlucht geen alcohol en wel veel water.

♦ Pas u onmiddellijk aan de gang van zaken van de nieuwe tijdzone aan.

♦ Probeer de dag te beginnen met wat lichte gymnastiek.

♦ Stel u de eerste dagen na de vlucht zoveel mogelijk aan natuurlijk licht bloot.

Korte dutjes

Het doen van een dutje kan voor- en nadelen hebben (zie ook bladzijden 40-41). Het grootste nadeel is dat overdag slapen kan betekenen dat u 's avonds gewoon niet moe genoeg bent om in slaap te vallen. Maar een verstandige toepassing van korte slaapjes kan heilzaam werken als u daardoor redelijk alert blijft tijdens het werk en toch goed slaapt. Veel slaaponderzoekers menen zelfs dat een zorgvuldig gebruik van het dutje het circadiaanse ritme alleen maar versterkt en stemming en concentratie ten goede komt.

De concentratie valt ongeveer acht uur na het wakker worden onvermijdelijk wat weg. Als u op dat tijdstip zo'n tien tot vijftien minuten een dutje doet, zal het 's avonds uw slaap waarschijnlijk niet belemmeren. Korte slaapjes op een ander tijdstip, vooral zo tussen 10 en 12 uur na het opstaan, kan de slaap zeer nadelig beïnvloeden. Als u geregeld slecht slaapt en daarom de volgende dag behoefte hebt aan een dutje, hebt u zich waarschijnlijk een slechte slaapgewoonte aangewend. Om weer tot een normaal schema te komen, moet u ervoor zorgen dat u overdag wakker blijft. Het kan wel tien weken duren vóór u weer een normaal slaappatroon hebt, dus hou vol!

Lichamelijke en geestelijke gezondheid

Een slechte gezondheid, of die nu veroorzaakt wordt door ernstige chronische aandoeningen, een ongeluk of door veelvoorkomende kwaaltjes, is een van de hoofdoorzaken van slecht slapen. Vooral pijn bemoeilijkt het in slaap vallen, vermindert het aantal uren diepe slaap en zorgt vaak voor slaaponderbrekingen. Of de pijn nu te maken heeft met een simpele infectie of een ernstige ziekte als kanker, het verstoort de slaap altijd op een moment dat het lichaam deze het hardste nodig heeft.

Te weinig en te veel stimulatie

Mensen die overdag weinig lichaamsbeweging krijgen zijn 's avonds vaak niet moe genoeg om in slaap te komen en zelfs als dat ze lukt, slapen ze niet diep en goed genoeg. Gebrek aan lichamelijke activiteit heeft een aantoonbaar negatief effect op de kwaliteit van onze slaap: we functioneren minder goed of worden niet uitgerust wakker. In zijn boek *Slapeloosheid en andere slaapproblemen* gebruikt dr. Peter Lambley de term 'malsomnia' (slecht slapen) om de lichte, telkens onderbroken nachtrust te beschrijven die te weinig diepe en REM slaap bevat en karakteristiek is voor mensen die lichamelijk te weinig actief zijn.

Gebrek aan lichaamsbeweging is niet de enige factor die een goede slaap belemmert. Gebrek aan geestelijke activiteit, persoonlijke motivatie en een gevoel van vervulling kan ook oorzaak zijn van een te lichte, vaak onderbroken nachtrust. 'Malsomnia' komt vooral veel voor, denkt men, bij mensen die uitdagingen uit de weg gaan en die een saai en onbevredigend leven leiden.

Maar hoe slecht gebrek aan beweging ook is, te veel activiteit, vooral 's avonds laat, doet evenveel kwaad. Fysieke inspanning maakt adrenaline vrij, die, paradoxaal genoeg, zowel opwekt als vermoeid maakt. Geestelijke prikkels laat in

Veelvoorkomende kwalen die de slaap beïnvloeden

Angina
◆
Astma
◆
Diabetes mellitus
◆
Arthritis
◆
Ziekten van de schildklier

ME en fibromyalgie

ME (myalgische encephalomyelitis) is een slopende kwaal die vermoeidheid, depressie, griepachtige verschijnselen en slecht slapen tot gevolg heeft. Fibromyalgie heeft soortgelijke verschijnselen, maar wordt met name gekenmerkt door vermoeidheid in de spieren en door veelvoudige gevoelige punten op het lichaam. Mensen die aan deze aandoeningen lijden produceren tijdens de slaap de hersengolven van het type alpha (verbonden met ontspannen wakker zijn) in plaats van thèta-golven, die meestal bij het in slaap vallen optreden, of van het type delta, de hersengolven van de diepe slaap. (Zie ook onuitgerust wakker worden, bladzijde 75.)

Chemische vijanden van de slaap

Wat u uw lichaam overdag toedient heeft effect op uw functioneren, zowel overdag als 's nachts. Veel chemische stoffen kunnen daarbij de slaap beïnvloeden. Om aan voldoende effectieve nachtrust toe te komen dient u het gebruik van deze stoffen tot een minimum te beperken.

Cafeïne

Cafeïne is een opwekkende stof die niet alleen in koffie zit, maar ook in thee, cacao, cola-bevattende dranken, chocolade en in sommige geneesmiddelen voor verkoudheid en pijnbestrijding, al dan niet op recept verkrijgbaar. Negatieve effecten kunnen wel 14 uur merkbaar zijn. Dranken die cafeïne bevatten geven een tijdelijke opwekking van energie omdat zij in het lichaam de reserve aan energie-producerend glycogeen aanspreken en die in glucose (suiker) omzetten. Als dit bij herhaling gebeurt, raakt deze energievoorraad snel uitgeput met als gevolg dat u zich voortdurend vermoeid voelt. En aan herstel van energie komt u 's nachts ook niet toe omdat cafeïne het zenuwstelsel prikkelt en de adrenalinespiegel verhoogt zodat u gespannen en klaarwakker blijft.

Alcohol

Als u alcohol gedronken hebt valt u wel snel in slaap, maar loopt u ook een verhoogde kans 's nachts wakker te worden door het boemerangeffect dat deze stof heeft. En alcohol met cafeïne is helemaal uit den boze. De alcohol zal aanvankelijk het stimulerende effect van de cafeïne onderdrukken, maar waarschijnlijk wordt u 's ochtends heel vroeg wakker als het effect van de alcohol uitgewerkt is.

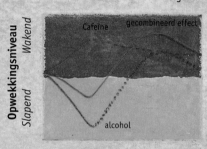

Nicotine

De nicotine in tabak prikkelt het zenuwstelsel, doet de bloeddruk stijgen en is van invloed op de ademhaling. Bovendien laat hij adrenaline vrijkomen, hetgeen de herstellende eigenschappen van de slaap belemmert. Rokers slapen meestal lichter en met meer onderbrekingen dan niet-rokers.

Verboden middelen

Veel zogenoemde genotmiddelen verstoren de slaap, zowel tijdens gebruik als bij het afkicken. Dit komt omdat middelen als cannabis, dat kalmerend werkt op het centrale zenuwstelsel, en amfetaminen, die stimulerend werken, het slaappatroon in de war sturen.

Geneesmiddelen op recept

Alle medicijnen hebben zo hun bijverschijnselen en een veel voorkomende daarvan is een negatief effect op de slaap. Als u slaapproblemen hebt en u neemt een bepaald geneesmiddel op doktersvoorschrift, **blijft u het geneesmiddel dan innemen,** maar bespreek de kwestie met uw arts.

de avond, zijn ook niet bevorderlijk voor een goede nacht-rust, als er tenminste voor het naar bed gaan geen tijd om 'af te bouwen' wordt genomen.

Gewichtsverlies

Mensen die iets zwaarder dan gemiddeld zijn, schijnen beter te slapen dan mensen met een licht gewicht. Misschien wordt dit veroorzaakt door het feit dat zwaardere mensen vaak gelukkiger mensen zijn die een gezonde trek hebben, in gewicht toenemen en beter slapen dan depressieve of ge-spannen mensen, maar het is eerder een kwestie van gewicht dan van lichaamsvet. Ook lijkt bewezen te zijn dat zwaarde-re mensen een langduriger ultradiaans ritme (zie bladzijde 31) hebben dan gemiddeld. Een langdurige slaapcyclus le-vert meer REM-slaap op. Een teveel aan gewicht verliezen is goed voor de gezondheid, maar het is aangetoond dat al te plotseling gewichtsverlies een zeer schadelijke uitwerking op het slaappatroon heeft.

Psychische factoren

Er wordt geschat dat zo'n 85 tot 90 procent van de mensen met psychische problemen als angst en depressie, ook pro-blemen met slapen hebben. Angst veroorzaakt spanning en deze maakt dat het lichaam in een toestand verkeert waarin het niet goed slapen is. Angst is vaak een tijdelijk probleem dat bijvoorbeeld door een examen, een sollicitatiegesprek of een andere gebeurtenis die met veel stress gepaard gaat, wordt opgewekt. Als de specifieke oorzaak wordt weggeno-men, is de angst ook voorbij. Maar soms heeft het probleem geen duidelijke oorzaak. Ernstige, langdurige angst behoeft, wat de oorzaak ook mag zijn, een professionele behandeling.

Slecht slapen is ook een klassiek symptoom van depressie die de biologische klok dusdanig in de war schijnt te bren-gen dat zij die daaraan lijden nauwelijks slapen of op zulke vreemde tijden dat zij 's nachts meestal wakker liggen en overdag slapen. Tegen de normale gang van zaken in, vindt de REM-slaap dan te vroeg plaats en de diepste slaap later. Het slaappatroon kan met antidepressiva gecorrigeerd wor-den. Een medische behandeling voor de depressie is dan op haar plaats, maar het verdient ook aanbeveling zich aan een strak slaapschema te houden om weer gewoon 's nachts te gaan slapen om overdag wakker te blijven.

Hoe slapeloosheid door emotionele oorzaken aan te pakken

♦ Probeer de aanbevelingen die in deel drie gedaan wor-den, op te volgen.

♦ Hoed u voor het gebruik van alcohol; het maakt de sympto-men alleen maar erger en lost niets op.

♦ Ga iedere dag naar buiten en neem voldoende lichaams-beweging.

♦ Telefoneer met een begrij-pende vriend, vriendin of fa-milielid voor u naar bed gaat en bespreek wat u dwars zit.

♦ Als het probleem echt ern-stig en onoverkomelijk wordt, kunt u uw arts beter om psy-chologische hulp vragen.

Externe factoren

Uw slaap hoeft niet alleen verstoord te worden door wat u uw lichaam toedient. Uw slaapomgeving is ook van groot belang. Het is duidelijk dat geluid een gezonde slaap niet erg zal bevorderen, maar de gevoeligheid voor geluid is een individuele kwestie. Die neemt toe met de leeftijd en onderzoekers hebben bewezen dat vrouwen op dit punt gevoeliger zijn dan mannen. Natuurlijk is het ook van belang in welke fase van de slaap het geluid plaatsvindt. Er is veel meer lawaai nodig om ons uit een diepe slaap of een REM-slaap te wekken dan uit de lichte slaapfasen één en twee.

Het wekt ook geen verbazing dat bewezen is dat, hoe vermoeider wij zijn, des te minder snel wij wakker worden, zelfs van een hard geluid. Incidenteel voorkomend hard geluid is veel hinderlijker dan een constant gezoem, gegons of getik. De aard van het geluid telt ook: een moeder kan door een hevige storm heenslapen maar zal toch onmiddellijk wakker worden als haar baby zachtjes huilt. Veel mensen die van extern geluid wakker worden, blijven door de ergernis die dat bij ze opwekt een lange tijd wakker.

Temperatuur

Als u het of te koud of te warm hebt, zal dat een vredige nachtrust belemmeren, en afbreuk doen aan het herstellend vermogen van de slaap. Aangenomen wordt dat een temperatuur van ongeveer 18 °C ideaal is voor een goede nachtrust. Het is bewezen dat men bij temperaturen boven 24 °C steeds wakker wordt, meer beweegt en minder REM-slaap krijgt. Te lage temperaturen zijn evenzeer slecht voor de nachtrust.

Licht

Licht en donker spelen een speciale rol bij het bepalen van het slaapschema. Zij beïnvloeden ook de lengte en de kwaliteit van onze slaap. Zonlicht overdag is goed voor een rustige slaap, maar 's nachts hebben we duisternis nodig om goed en gezond te slapen.

Zie hoofdstuk 9 voor meer adviezen over hoe u uw slaapomgeving slaapvriendelijker kunt maken.

Hoofdstuk 6

Slaapstoornissen

De Amerikaanse 'Sleep Disorders Association' gebruikt het *yin/yang*-symbool om het belang aan te tonen van een goede balans tussen slapen en waken teneinde onze gezondheid in stand te houden.

Men schat dat vele miljoenen Amerikanen en Europeanen aan slaapstoornissen lijden. Bovendien geeft één derde van alle mensen die een dokter bezoeken en twee derde van degenen die bij een psychiater komen te kennen onvoldoende slaap te krijgen. Hoe belangrijk de slaap voor ons geestelijk en lichamelijk welzijn is, werd al in hoofdstuk 1 besproken. Een slaaptekort is een mens van het gezicht af te lezen. De huid is als het ware de barometer van de gezondheid en te weinig celvernieuwing betekent dat cellen niet snel genoeg vervangen worden om de huid stevig en stralend te kunnen houden. Wallen en donkere kringen onder gezwollen ogen zijn vaak het eerste uiterlijke teken van slecht slapen en wanneer dit paar nachten achtereen gebeurt, kan bovendien een enorm gevoel van spanning ontstaan. Maar gelukkig kan men met een klein beetje kennis van zaken de meeste slaapstoornissen ook wel zonder professionele hulp overwinnen. Om te beginnen moet u de aard van uw speciale probleem zien te onderkennen.

De meeste mensen weten wel wat hen wakker houdt, maar het is mogelijk dat u een foute diagnose stelt omtrent de oorzaak van het probleem. Misschien wordt u 's nachts wel wakker omdat uw partner snurkt, maar desalniettemin hoeft het snurken niet per se de oorzaak van uw wakker worden te zijn. Het kan ook een boze droom, angst of pijn geweest zijn. De vragenlijst aan het begin van het boek (zie bladzijde 9 en 10) kan u helpen de oorzaak te analyseren. Als u deze gevonden hebt, kunt u stappen ondernemen om hem weg te nemen of in ieder geval de gevolgen te verzachten door uw leefwijze aan te passen. Dat kan bestaan uit het opnieuw bezien van uw eetgewoonten, leren te ontspannen, en een slaapbevorderend ritueel te volgen rond bedtijd. In deel drie vindt u hiertoe al het nodige advies.

Wat is slapeloosheid?

Slapeloosheid betekent: niet bij machte zijn te slapen. De term wordt gebruikt als iemand moeilijk in slaap valt of slecht dóórslaapt, maar ook als iemand echt helemaal niet kan slapen. Niet alle mensen die weinig slapen lijden aan slapeloosheid. Mensen die kort slapen hebben maar weinig slaap nodig om toch fit en gezond te blijven, terwijl mensen die aan slapeloosheid lijden zowel fysiek als mentaal onder dat gebrek aan slaap gebukt gaan. Slapeloosheid is op zichzelf geen ziekte, maar een symptoom van een onbalans in het lichaam, een gebrek aan evenwicht dat vele oorzaken kan hebben.

Voorbijgaande en kortstondige slapeloosheid

Het is heel gewoon als men de nacht voor een examen of een sollicitatiegesprek, of als men de volgende dag gaat trouwen, door nervositeit slecht slaapt. Als je ligt te denken aan iets opwindends, hetzij goed of slecht, kun je ook vaak niet in slaap komen. Bij spanning raakt het zenuwstelsel geprikkeld en dit houdt de hersenen wakker en opgewonden (zie de pagina hiernaast). Tijdelijke, voorbijgaande slapeloosheid wordt niet alleen door stress, maar ook door kleine gezondheidsproblemen als verkoudheden, hoesten, verstoring van de biologische klok door een jetlag en externe factoren als lawaai veroorzaakt. De oorzaak van zo'n slaapprobleem is dan ook meestal duidelijk, en het probleem verdwijnt zodra die oorzaak wordt weggenomen. Kortdurende slapeloosheid duurt langer, soms twee tot drie weken. Vaak is het het gevolg van emotionele verwarring door bijvoorbeeld echtscheiding, een sterfgeval, pijn of ziekte.

Als kortetermijnslapeloosheid het gevolg is van een emotioneel probleem, kan professionele begeleiding of zelfs al een goed gesprek met een vriend, uitkomst bieden. Hypnotherapie kan genezend werken doordat het onderdrukte, onverwerkte emoties naar boven haalt. Maar ook andere aanvullende therapieën als homeopathie, aromatherapie en acupunctuur kunnen helpen u zowel emotioneel als fysiek door deze moeilijke periode heen te helpen (zie deel vier). Voor sommige mensen kunnen tijdens een korte periode van ernstige spanningen of pijn slaappillen een uitkomst zijn (zie hoofdstuk 11).

Chronische slapeloosheid

Slaapproblemen die langere tijd duren - chronische slapeloosheid - kunnen ook een gevolg zijn van psychische, fysieke of door de omgeving veroorzaakte problemen. Soms kan
een traumatische gebeurtenis als een ongeluk, een sterfgeval
in de familie, of echtscheiding de aanleiding zijn, waarna het
probleem moeilijk uit te roeien wordt, vooral wanneer u afhankelijk wordt van slaappillen. Een vastgeroest slecht leefpatroon of factoren als afhankelijkheid van alcohol of spanningen op het werk kunnen mede tot chronische slapeloosheid leiden. En ten slotte kunnen ook bepaalde geneesmiddelen en langdurige medische problemen een rol spelen bij
de ontwikkeling van een chronisch slaapprobleem.

Moeilijk in slaap vallen

Langdurige slapeloosheid treft niet iedereen op dezelfde
manier en vaak kan het patroon dat de slapeloosheid te zien
geeft ons een idee geven van de achterliggende oorzaken.
Zowel kortdurende als chronische slapeloosheid kan in verschillende typen worden verdeeld. Bijna de helft van alle
mensen met slaapproblemen heeft moeite met in slaap te
vallen. Veel mensen die beweren dat zij moeilijk in slaap komen, hebben, wanneer ze vanuit de lichte slaap (fasen een en

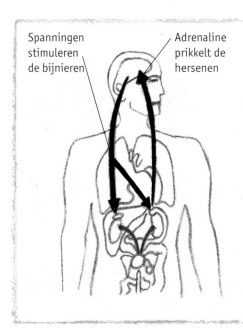

Spanningen stimuleren de bijnieren

Adrenaline prikkelt de hersenen

Hormonale activiteit en wakker liggen

Spanningen geven hetzelfde fysieke effect als een confrontatie
met gevaar. De hersenen zenden
boodschappen naar de bijnieren
om adrenaline te produceren,
een stof die op zijn beurt de
waakzaamheid verhoogt. Mensen die door spanningen wakker
blijven merken dat ze, ook als ze
uiteindelijk in slaap vallen, toch
onverkwikt wakker worden. Dat
komt doordat het hoge adrenalineniveau de herstellende werking van het groeihormoon belemmert.

twee) ontwaken, het gevoel dat ze in het geheel niet geslapen hebben, wat erop wijst dat hun ervaring van de slaap geheel verschilt van die van zogenaamde 'normale' slapers. Dit idee, namelijk dat ze helemaal niet slapen, schijnt bij hen de spanning te vergroten en maakt het probleem alleen maar erger.

Als u merkt dat u al langer dan een halfuur in bed ligt en niet in slaap komt, probeer daar dan niet van in de war te raken. U weet nu dat uw ultradiaanse ritme ervoor zorgt dat u binnen 90 tot 100 minuten zo slaperig zult worden dat u gemakkelijk in slaap valt. In plaats van in bed te liggen woelen en u op te winden, gaat u gewoon naar een andere kamer en doet daar iets eenvoudigs of iets wat u een beetje ontspant. Maak als u dat wilt een kopje kruidenthee voor uzelf, als het maar geen cafeïnehoudende drank is. Als u slaperig wordt, gaat u weer naar bed en probeert u het nog eens.

Spanning, boosheid en stress vormen de meest voorkomende oorzaken van slapeloosheid. Leren stress te hanteren en ontspanningsoefeningen kunnen u helpen de dagelijks voorkomende spanningen de baas te worden (zie ook deel drie). Mensen die onder voortdurende of telkens weerkerende stress gebukt gaan, zouden medische hulp moeten zoeken. Een geslaagde behandeling van de onderliggende oorzaak van de spanning ruimt het slaapprobleem vaak meteen uit de weg.

In de oude Chinese medische handboeken worden problemen met in slaap komen gezien als een deficiëntie van het bloed, hetgeen veroorzaakt zou zijn door spanning en zorg of door een gebrek aan proteïnen. Andere symptomen van deze onvolwaardigheid in het bloed zouden zijn: prikkelingen in de ledematen, krampen door een slechte bloedcirculatie, een verminderd concentratievermogen en een slecht geheugen. De laatste twee worden ook in de westerse geneeskunde gezien als klassieke symptomen van een slaapgebrek.

's Nachts wakker liggen

Omdat we verschillende cycli van lichte, diepe en REM-slaap doorlopen, hebben wij allemaal 's nachts onze periodes van even wakker zijn. Meestal gebeurt dat na een REM-slaap, maar we herinneren het ons niet omdat het zo kort duurt. Sommige mensen liggen, naar het hen lijkt, uren wakker. Depressie, spanning, pijn, ademhalingsmoeilijkheden, alcohol, cafeïne, druggebruik en vaak naar de wc moe-

Onwillekeurige bewegingen

Sommige mensen worden 's nachts wakker van onwillekeurige bewegingen in hun benen - zogenoemde 'rusteloze benen'. IJzergebrek en te veel thee, die cafeïne bevat en de ijzeropname van het lichaam belemmert, worden wel als oorzaken gezien. Ook wijt men het verschijnsel wel aan gebrek aan kalk en andere vitaminen en mineralen. Het kan ook met een slechte bloedsomloop samenhangen. Medicijnen zijn hier niet altijd een uitkomst. Het alternatief is, méér lichaamsbeweging en een vitaminen- en mineralensuppletie. Ginkgo biloba kan ook helpen.

ten, dragen allemaal bij aan zulke lange nachten van waken.

In de traditionele Chinese geneeskunst wordt wakker liggen gezien als een gevolg van een gebrek aan *yin* energie, die door overwerktheid, spanningen, emotionele druk of slechte eetgewoonten veroorzaakt kan zijn. Chinese geneeskundigen zien een gebrek aan *yin* dan ook als dé oorzaak van slapeloosheid bij ouderen. *Yin* wordt beschreven als koud en nat. Gebrekssymptomen kunnen zijn: het warm hebben, opvliegingen, boosheid, constipatie en rusteloosheid, en al deze verschijnselen kunnen de kwaliteit van de slaap inderdaad beïnvloeden.

Vroeg wakker worden

De neiging vroeg wakker te worden neemt met de jaren toe. Het is een bekend feit dat we met het klimmen der jaren lichter gaan slapen en voor veel mensen betekent dat wakker worden zodra het licht wordt of wanneer het buiten rumoerig wordt. U kunt bepaalde maatregelen nemen om uw kamer wat donkerder te maken of geluid van buiten af te schermen (zie hoofdstuk 9), maar u moet ook de realiteit niet uit het oog verliezen en accepteren dat u met het ouder worden nu eenmaal eerder wakker wordt. Het heeft geen zin om tegen de natuur in te gaan.

Ook in de Ayurveda wordt een lichtere en kortere nachtrust als een natuurlijke ontwikkeling bij het ouder worden gezien. Volgens de Ayurveda worden de verschillende levensfasen, net als ieder ander aspect van de natuur, door verschillende *dosha's* bepaald (zie bladzijde 19). Na het 40ste levensjaar, neemt de actieve *vata*-energie toe en dat betekent dat de slaap gemakkelijker onderbroken wordt, vooral in de vroege ochtenduren (van 2 tot 4 uur). Bij mensen die al een onbalans in hun *vata*-energie hebben, kan deze van nature lichte slaap in slapeloosheid veranderen.

Westerse psychiaters zien vroeg wakker worden als een klassiek teken van endogene depressie (verdrietige gevoelens die geen oorzaak van buitenaf hebben). Vroeg wakker worden betekent op zichzelf geen depressie, maar kan het worden als het gepaard gaat met bijkomende symptomen als apathie, verlies van eetlust of geen zin meer in seks hebben, onverklaarbare spierpijnen, en morbide gedachten (zie ook bladzijde 68).

Onuitgerust wakker worden

Een klein aantal mensen lijdt aan wat de 'alpha-delta'-slaap genoemd wordt: het wakkerzijn patroon van de hersengolven duurt voort tijdens de diepe slaap. Deze mensen krijgen bijzonder weinig herstellende, diepe rust. Ze kunnen zes tot acht uur slapen en beweren dat ze totaal niet geslapen hebben. Hun nachtrust is niet echt verkwikkend en zij voelen zich 's ochtends nog net zo moe als toen zij naar bed gingen.

Snurken en slaap-apnoe

Snurken wordt vaak meer als een probleem voor de partner dan voor degene die snurkt beschouwd. Maar het kan de slaap van allebei ongunstig beïnvloeden en zelfs slapers in de kamer ernaast storen. Van de volwassenen snurkt tussen één derde en de helft. Mannen schijnen daarbij het meeste lawaai te maken, maar ook een aantal vrouwen, met name na de menopauze.

Waardoor wordt snurken veroorzaakt?

Snurken wordt veroorzaakt door een belemmering in de bovenste luchtwegen. Tijdens de slaap zijn de spieren van de bovenkant van de nek en binnen in de keel ontspannen, en gebrek aan steun van weke of vlezige keelspieren betekent dat het zachte verhemelte (de vezels aan de achterkant van de keel) gemakkelijk met iedere ademhaling méévibreert. Deze vibraties geven de karakteristieke snurkgeluiden.

Met het klimmen der jaren worden onze keelspieren zwakker en gaan we ook meer snurken. Overgewicht kan er ook toe bijdragen. Vet beïnvloedt het functioneren van al onze spieren en dus ook die in de keel. Een door kou of allergie verstopte neus kan een tijdelijk snurken veroorzaken, evenals neuspoliepen en vergrote klieren of amandelen. Ook een kropgezwel en een overactieve schildklier kunnen de oorzaak zijn. Als kinderen snurken hebben ze meestal gezwollen amandelen of klierproblemen. Bij volwassenen neemt de kans op snurken toe bij zwaar drinken, gebruik van slaappillen, roken en op de rug slapen.

Invloed op de gezondheid

Mensen die snurken weten soms niet eens van zichzelf dat ze snurken en slapen vrolijk door zonder wakker te worden. Bij vele anderen echter, zorgt het snurken voor een telkens onderbroken slaap die hen moe, prikkelbaar en slaperig maakt. Niettemin betekent snurken voor de meeste mensen geen bedreiging voor de gezondheid, al kan het erop duiden dat ze hun leefwijze eens moeten herzien. Een ernstiger probleem dat met snurken te maken heeft, is slaap-apnoe.

Wat er gebeurt als wij snurken

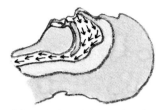

Tijdens de slaap behoren de spieren in de tong en het verhemelte de luchtwegen open te houden.

Als de spieren verslappen, wordt de luchtweg vernauwd en dat heeft snurken en ademhalingsmoeilijkheden tot gevolg.

In sommige gevallen worden de luchtwegen tijdelijk geheel geblokkeerd, en stokt de ademhaling. Dit is slaap-apnoe.

Slaap-apnoe

Deze toestand wordt gekenmerkt door luid snurken en herhaaldelijk naar adem snakken tijdens de slaap. De verstik-
kingsverschijnselen vinden plaats omdat het verhemelte
dicht gezogen wordt als de slaper inademt, waarbij de luchtwegen geblokkeerd worden en de ademhaling tijdelijk stopt.
De slaper stikt er bijna in en wordt naar adem snakkend
wakker. Deze verstikkingachtige verschijnselen duren soms
9 tot 10 seconden en kunnen in ernstige gevallen wel 1000
keer per nacht optreden. Slaap-apnoe heeft dus dezelfde
oorzaken als snurken.

Dit herhaaldelijk wakker worden leidt tot een opvallende
slaperigheid overdag, hetgeen ook het voornaamste symptoom is. In buitensporige gevallen kan de slaperigheid zo'n
omvang aannemen dat de patiënt niet kan werken of zelfs
auto rijden. Sommige mensen die dan toch dóórgaan veroorzaken soms ernstige ongelukken op het werk, thuis of op
de weg. Amerikaanse onderzoekers schatten dat 20 procent
van de mensen met slaap-apnoe auto-ongelukken hebben
gehad omdat ze aan het stuur in slaap gevallen waren.

De risico's van slaap-apnoe

De gevaren die slaperigheid met zich meebrengt, vormen niet de enige reden dat men zich zo bezorgd
maakt over slaap-apnoe. Als de ademhaling geblokkeerd raakt tijdens de lichte of diepe slaap, dwingt
het gebrek aan zuurstof de hersenen ertoe noodsignalen naar de spieren uit te zenden om ze te laten
bewegen. Maar het probleem is op zijn ergst tijdens de REM-slaap en daarom dan ook het gevaarlijkst.
De spierverlamming tijdens de REM-slaap maakt dat het lichaam langere tijd nodig heeft om te reageren
als de hersenen minder zuurstof krijgen. Gelukkig komt een zó ernstige slaap-apnoe maar zelden voor,
slechts bij 1 à 2 procent van de bevolking.

Lijders aan slaap-apnoe zijn erg aan stemmingen onderhevig, zijn altijd moe en hebben nauwelijks be-
langstelling voor seks. Zij krijgen maar weinig REM-slaap en, in ernstige gevallen, vrijwel geen diepe
slaap. Het gebrek aan REM-slaap, gecombineerd met ademhalingsproblemen die tot een verminderde
opname van zuurstof in de hersenen leiden, zou wel eens kunnen verklaren waarom mensen met slaap-
apnoe vaak stoornissen in geheugen en intellect vertonen.

Verhoogde bloeddruk, hartziekten en een verhoogde kans op een beroerte worden allemaal met slaap-
apnoe geassocieerd. In Amerika sterven ieder jaar 2 tot 3000 lijders aan slaap-apnoe als gevolg van
nachtelijke hartaanvallen. De risico's voor mensen met astma en andere ziekten van de luchtwegen zijn
overduidelijk.

Hoe kunnen wij snurken tegengaan

De deskundigen zijn het er allemaal over eens dat medicijnen geen zin hebben bij de behandeling van snurken en slaap-apnoe. Er zijn genoeg andere middelen. Snurken is, net als slapeloosheid, geen ziekte. Lichaamsbeweging, dieet, minder alcohol, niet roken en geen kalmeringsmiddelen innemen zijn hier de meest voor de hand liggende methoden om minder te snurken en fitter te worden.

Oefeningen voor de keel

In haar boek *The Natural Way to Stop Snoring* zegt dr. Elizabeth Scott dat professionele zangers zelden snurken omdat zij hun keelspieren zo regelmatig oefenen. Dr. Scott adviseert om op de lijn te letten en oefeningen te doen: diep ademhalen, gapen, de neuswegen openen, gorgelen, tong uitrekken en zingen. En, wie weet, vindt u de oefeningen wel heel erg leuk. Zingen is trouwens in het algemeen goed tegen stress.

Op uw zij slapen

Als u op uw zij of op uw buik ligt, zult u minder gauw snurken. Als u op uw rug ligt, zal uw tong eerder achter in de keel de luchtdoorgang blokkeren. Het traditionele advies om ervoor te zorgen niet op de rug te slapen hield in een tennisbal achter in de pyjama naaien. Een prettiger alternatief: wat kussens achter de rug.

Anti-snurkmiddelen

Anti-snurkmiddelen helpen in zekere mate het geluid van het snurken te beperken en het risico van slaap-apnoe te verkleinen, maar zij pakken de oorzaak niet aan. Neus-strips of -klemmetjes die sportlui gebruiken om hun zuurstofopname te verbeteren kunnen in sommige gevallen ook helpen bij snurken. Deze pleisters, bij de apotheek verkrijgbaar, worden aan de buitenkant van de neus vastgezet om de neusgaten te openen en de ademhaling te bevorderen. Een ingewikkelder maar zeer effectief alternatief is de vernevelaar. Dit is een soort 'neusmasker' met een ultrasonore transducer die hoogfrequente golven produceert waardoor de te vernevelen vloeistof in het apparaat zodanig in trilling wordt gebracht dat deze tot heel fijne nevel wordt. De luchtstroom die afgegeven wordt zorgt ervoor dat de nevel bij de gebruiker komt. Dit geeft patiënten vaak een enorme verlichting.

Er bestaat ook een operatie tegen het snurken, de uvulopalatopharyngoplastie. De chirurg verhardt een deel van het verhemelte met de huig en de keelwand zodat de luchtpijp minder gauw zal dichtklappen. Het is een drastische maatregel die niet altijd werkt maar die soms een verbetering teweeg kan brengen bij ernstige slaap-apnoe-patiënten. Voor degenen bij wie een operatie niet helpt, kan dit ook tot gevolg hebben dat een vernevelaar minder effectief is vanwege de schade aan het verhemelte die door de operatie is toegebracht. Andere operatietechnieken verkeren nog in een experimenteel stadium, hoewel een aantal artsen al met een lasertechniek werkt, de laser-uvulopalatoplastie. Niet geschikt voor mensen die te dik zijn of bij wie het snurken wordt veroorzaakt door iets anders dan een slap verhemelte.

Slaapwandelen en parasomnie

Slaapwandelen (somnambulisme) is een van de slaapstoornissen die bekend staan als parasomnie. Deze term staat voor verschillende ongewenste fysieke verschijnselen die tijdens de slaap kunnen voorkomen. Bedwateren, nachtmerries en tandenknarsen horen daar bijvoorbeeld ook toe. Ongeveer 15 procent van de mensen slaapwandelt wel eens. Het komt het meest bij kinderen voor (zie hoofdstuk 7). De meeste volwassenen die wel eens slaapwandelen, doen dat in tijden van angst of stress of omdat ze er een onregelmatig slaappatroon op nahouden. Mensen die in ploegendienst werken of mensen die het langdurig zonder slaap moeten doen, zullen eerder slaapwandelen, mogelijk omdat ze meer diepe slaap krijgen dan mensen met een regelmatig slaappatroon. Het gebruik van alcohol, dat het slaap/waakmechanisme in de war brengt, slaap-apnoe en kwalen als migraine en epilepsie worden ook met slaapwandelen in verband gebracht.

Volwassenen die tot slaapwandelen geneigd zijn, doen er goed aan op regelmatige tijden naar bed te gaan, ervoor te zorgen dat ze niet oververmoeid raken en liefst niet in ploegendienst gaan werken. Angst en spanningen kunnen ook zo hun bijdrage leveren, dus probeer op de een of andere manier te ontspannen en uw zorgen van u af te zetten in de uren voor u naar bed gaat. Als het een dieper liggend probleem betreft kunt u beter professionele begeleiding zoeken. Veel van de veiligheidsadviezen voor slaapwandelen bij kinderen (zie bladzijde 87) zijn ook van toepassing op volwassenen.

Wat te doen als iemand slaapwandelt

Als u merkt dat iemand slaapwandelt, probeer hem dan vriendelijk weer naar bed te krijgen, vertel hem dat alles in orde is en doe het licht uit. Probeer een confrontatie te vermijden, ook al betekent dat dat u bijvoorbeeld even met hem moet rondwandelen voor u hem weer in bed krijgt.

Nachtwandelen

Oudere mensen, met name als ze de ziekte van Alzheimer of een andere vorm van dementie hebben, nachtwandelen nogal eens. Nachtwandelen is niet hetzelfde als slaapwandelen. Degene die nachtwandelt is wakker; echter, het kortetermijngeheugen is aangetast en daarom is de persoon in kwestie er niet meer zeker van of het dag of nacht is. Soms kan verandering van omgeving tot disoriëntatie leiden. Een nieuw huis of zelfs al een andere kamer kan dan tot verwarring leiden. Een teveel aan energie is een andere mogelijke oorzaak. Lichaamsbeweging is nu eenmaal op iedere leeftijd belangrijk. En maar al te vaak raken oudere mensen overdag lichamelijk niet moe. Probeer, als u een ouder iemand onder uw hoede hebt, ervoor te zorgen dat hij of zij iedere dag wat rustige beweging in de openlucht krijgt. Sociale omgang is trouwens ook van belang om de dag op een bevredigende manier te kunnen doorbrengen.

De slaaphygiëne die in deel drie besproken wordt, moet ook vooral door oudere mensen in acht genomen worden. Velen gaan te vroeg naar bed, wellicht uit verveling of gewoonte of omdat ze het koud hebben. Het helpt om een duidelijk onderscheid tussen de dag en de nacht te maken door de behuizing overdag helder verlicht te houden en 's nachts alle lichten uit te doen (hoewel een klein nachtlichtje geruststellend kan werken). Probeer verwarring te voorkomen door voorwerpen en meubilair op dezelfde plaats te laten staan, anders raken oudere mensen vaak hun oriëntatie kwijt. Als de persoon in kwestie toch blijft nachtwandelen, zorgt u dan in ieder geval voor een veilige omgeving en houdt u ramen en deuren die naar buiten leiden op slot.

Bruxisme

Bruxisme of tandenknarsen komt vooral in slaapfase 1 en 2 voor. Op de lange duur kan tandenknarsen schade aan het gebit veroorzaken doordat het glazuur ervan slijt en kaakgewrichtsklachten kunnen ontstaan. Het directe effect ervan is aangezichtspijn en oorpijn, en in sommige gevallen hardnekkige hoofdpijnen. De oorzaak is onduidelijk, maar vooral spanning schijnt ermee te maken te hebben. Er bestaat geen specifiek medicijn; mensen die eraan lijden kunnen zich een beschermingsmiddel voor de mond (een zogeheten splint) aanschaffen.

Verlamming in de slaap

Slaapverlamming heeft plaats als u uit een droom wakker wordt. Het lichaam is dan nog in slaap en volkomen onbeweeglijk. Het gevoel is weer snel verdwenen maar het kan een angstaanjagende ervaring zijn.

Narcolepsie

Narcolepsie is een zeer zelden voorkomende ongeneeslijke kwaal die vooral genetisch bepaald is. Men schat dat slechts 0,15 procent van de mensen eraan lijdt. De kwaal wordt gekenmerkt door buitensporige slaperigheid overdag en een onmiddellijke verstijving die lijkt op die in de REM-slaap. Patiënten kunnen ieder ogenblik in slaap vallen, zelfs bij autorijden of tijdens het liefdesspel, als het stijgend adrenalinepeil hen eigenlijk wakker zou moeten houden. Rond het 20ste levensjaar schijnt de ziekte op haar ergst. De gevaren mogen duidelijk zijn. Autorijden of het bedienen van machines kan riskant zijn; ook hebben werk en persoonlijke relaties eronder te lijden. Artsen schrijven soms amfetaminen voor die sommige patiënten inderdaad helpen om overdag wakker te blijven.

Hoofdstuk 7

Slaapproblemen in de jeugd

De gezondheid en de ontwikkeling van een kind zijn in grote mate een kwestie van evenwicht, met name evenwicht tussen rust en activiteit, tussen waken en slapen. Een goede en gezonde nachtrust is van essentieel belang: het stelt het kind in staat te werken, te spelen en de enorme hoeveelheid informatie in zich op te nemen die het nodig heeft om tot een zelfstandige volwassene uit te groeien. Zonder voldoende slaap kunnen kinderen hun van nature aanwezige levendigheid en energie verliezen en worden ze oververmoeid, prikkelbaar, apatisch en humeurig. Kinderen hebben een geweldige hoeveelheid energie die zij wel in lichamelijke activiteiten kwijt moeten; pas dan zijn ze overdag prettig bezig en 's avonds op een gezonde manier moe, zodat ze probleemloos gaan slapen. Slapen mag dan even natuurlijk zijn als ademhalen, goede slaapgewoonten moeten toch aangeleerd worden. Sommige deskundigen op het gebied van kinderverzorging hameren erop dat de verantwoordelijkheid van ouders voor hun kinderen evenzeer een gezonde slaap als een gezond voedingspatroon geldt.

Hoeveel slaap heeft een kind nodig?

Baby's hebben geen idee van tijd. Ze vallen in slaap als ze moe zijn, niet omdat het bedtijd is. Net als bij volwassenen reageert hun lichaam op licht en donker, maar hun ultradiaanse ritme is korter zodat ze veel vaker wakker worden en dan voedsel en zorg nodig hebben. Naarmate ze groeien gaat hun slaappatroon meer op dat van een volwassene lijken. Als je ze de kans geeft zullen baby's en jonge kinderen 's nachts wakker blijven worden, vooral als ze dan met kussen en geknuffel beloond worden.

De meeste slaapdeskundigen zijn het erover eens dat een ernstig gebrek aan slaap de ontwikkeling van een kind kan

beïnvloeden, maar de meningen over de mate waarin dit bij kinderen voorkomt zijn verdeeld. Sommige baby's schijnen met weinig slaap toch goed te gedijen en groeien dan ook op tot mensen die weinig slaap nodig hebben. Ieder kind is nu eenmaal een individu en het doorsnee slaappatroon dat wij hierna beschrijven is dan ook slechts als leidraad bedoeld.

Realistische verwachtingen

Het belangrijkste is dat u eerst bij uzelf nagaat of uw uitgangspunt wel realistisch is. De meeste ouders gaan er gewoon vanuit dat zij slapeloze nachten zullen hebben, maar sommige zijn nu eenmaal toleranter dan andere. Bij een onderzoek werd moeders gevraagd of zij van mening waren dat hun kinderen een slaapprobleem hadden en daarbij bleek dat de verdraagzaamheid van de ouders hét criterium was bij het inschatten van de kwaliteit van de slaap van het kind. Hoewel sommige kinderen duidelijk slaapproblemen hebben, voldoen andere gewoon niet aan de opvattingen die hun ouders hebben over wat 'normaal' is voor een kind van die leeftijd. Een kind dat niet zoveel slaapt als de ouders gewenst vinden, kan een lichamelijk, geestelijk of emotioneel pro-

Van pasgeboren tot 12 weken

Pasgeboren baby's kunnen wel 16 van de 24 uur slapen. Baby's hebben veel korte slaapperioden nodig, afgewisseld met tijden waarop ze wakker zijn en gevoed worden. Het is voor een klein kind normaal om er een onregelmatig slaappatroon op na te houden. Dit wordt vanzelf regelmatiger naarmate het ouder wordt.

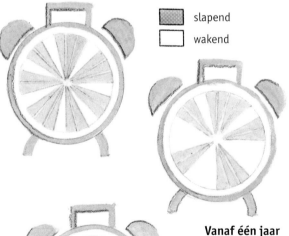

 slapend

wakend

Van 12 weken tot 1 jaar

Als ze ouder worden slapen kinderen wel minder vaak, maar voor langere perioden. Men schat dat, als ze drie maanden zijn, 70 procent van de baby's 's nachts dóórslapen. Een lange nachtrust wordt dan meestal aangevuld met één of meer slaapperioden overdag.

Vanaf één jaar

Op deze leeftijd hebben kinderen 's nachts afwisselende perioden van lichte slaap en REM-slaap, die onderbroken worden als het kind wakker wordt, van houding verandert of maar half in slaap lijkt. Vaak gaan ze gewoon weer slapen, maar soms duren de perioden van wakker zijn langer. Totdat ze drie jaar zijn hebben de meeste kinderen nog wel een slaapje overdag nodig.

bleem hebben, maar het kan ook gewoon betekenen dat het kind niet echt moe is of er belang bij heeft wakker te blijven.

Nu en dan blijft een kind wakker als gevolg van ziekte of omdat het angstig is. Kinderen zijn heel gevoelig voor ruzies tussen de ouders en een grote levenscrisis als (echt)scheiding maakt dat ze zich kwetsbaar, bang en onrustig voelen. Dit zijn bijzondere situaties waarin een kind gewoon alle liefde, steun en geruststelling nodig heeft die het maar kan krijgen. Het slaapprobleem zal waarschijnlijk pas opgelost zijn als het onderliggende probleem is aangepakt.

Als u de vrij algemene slaapstoringen die hieronder volgen herkent, kunt u ook bepaalde stappen nemen om ze te verhelpen. Als u denkt dat uw kind een ernstig slaapprobleem heeft, kunt u beter contact met uw huisarts opnemen, die u eventueel naar een specialist kan verwijzen.

Slechte slaapgewoonten

Als u een gezond en gelukkig kind hebt dat het iedere avond vertikt om naar bed te gaan, kan het zijn dat u bezig bent het kind verkeerde gewoonten aan te leren. Kinderen hebben troost, geruststelling en liefde nodig, maar evenzeer een grote behoefte aan regelmaat. Zij gedijen het best als er discipline, rust en stabiliteit heerst, ze moeten leren dat er voor alles een tijd is, en dat dat ook voor het naar bed gaan geldt. Een verstandig, regelmatig patroon rond het naar bed gaan geeft het kind de tijd om 'af te bouwen', zodat het in ieder geval voldoende slaap krijgt (zie bladzijde 90 en 91).

's Nachts wakker worden

Afhankelijk van leeftijd en omstandigheden kunnen kinderen door allerlei oorzaken wakker worden. Kleine baby's kunnen honger hebben, koliekjes, zich niet prettig voelen, het te warm of te koud hebben; oudere kinderen kunnen zich alleen voelen, bang zijn, of gespannen door iets wat op school of thuis gebeurd is. Plotseling gillend wakker worden (zie bladzijde 88) kan de slaap ook verstoren, hoewel het kind er vaak niet écht wakker van wordt. Tussen een half en anderhalf jaar worden sommige kinderen vaak 's nachts wakker. Het begint er vaak mee dat ze ziek zijn of tandjes krijgen en dat hij of zij er dan aan gewend raakt 's nachts aandacht te krijgen. Om deze gewoonte te doorbreken kunt u het beste het advies op de bladzijde hiernaast volgen. Toch

Kolieken in de avond

Veel baby's tussen de twee weken en drie maanden blijven 's avonds wakker doordat zij last van kolieken hebben. Niemand weet waarom sommige baby's daar last van hebben, het kan winderigheid zijn, honger, te veel voedsel, indigestie of spanning. Baby's zijn namelijk heel gevoelig voor de stemming van de mensen om hen heen en hebben een fijne antenne voor spanningen.

De baby vasthouden en troosten is dan een natuurlijke remedie. Sommige ouders lossen het probleem op met een carminatief (windverdrijvend) drankje of met natuurgeneesmiddelen. Als de moeder nog borstvoeding geeft kan een verandering van dieet helpen.

Het huilpatroon doorbreken

Er bestaat niet één enig juiste manier om een huilpatroon bij baby's te doorbreken. Sommige deskundigen adviseren het kind in bed te stoppen en het te laten huilen tot het vanzelf in slaap valt. Andere vinden dat je een kind nooit moet laten huilen omdat het dan emotioneel schade oploopt en dan een teruggetrokken kind wordt, hoewel dit eigenlijk nooit bewezen is. Twee methoden worden hieronder beschreven. Ouders moeten voor zichzelf beslissen welke methode het best bij hen past.

Uw kind laten huilen

♦ Stop het kind in bed, zeg welterusten en verlaat de kamer.

♦ Als het kind huilt, controleert u of het soms nat of ziek is, pijn heeft of eventueel in gevaar verkeert.

♦ Als alles in orde is, gaat u de kamer uit.

♦ Als uw kind weer gaat huilen, laat u het zichzelf in slaap huilen.

♦ Als uw kind later in die nacht weer gaat huilen, volgt u dezelfde procedure. Als alles volgens plan verloopt, zal het kind steeds korter blijven huilen.

Voordelen

♦ Als u deze regels strikt volgt en niet toegeeft, hebt u binnen een week resultaat.

♦ Het kind leert zelfstandig te gaan slapen, dus u kunt het in bed stoppen in de wetenschap dat het in slaap zal vallen.

Nadelen

♦ U moet heel geduldig en volhardend zijn. Ouders die er niet tegen kunnen hun kind te horen huilen, zijn waarschijnlijk niet in staat deze procedure dagen achter elkaar te volgen om van succes verzekerd te zijn.

♦ Het betekent verscheidene doorwaakte nachten vol lawaai, schuldgevoelens en spanning.

♦ De methode kan niet worden toegepast bij oudere kinderen aangezien die zelf uit bed kunnen komen en naar u toe kunnen komen voor troost.

De zachte methode

♦ Stop uw kind als gewoonlijk in bed en neem u voor dat, als het niet gaat slapen of 's nachts wakker wordt, u het eerst een poosje zult laten huilen voor u tussenbeide komt.

♦ Als u naar uw kind toegaat, troost u het hooguit één of twee minuutjes en gaat dan de kamer uit. Wacht niet tot hij of zij ophoudt met huilen of weer gaat slapen.

♦ De volgende keer laat u het wat langer huilen vóór u ernaar toegaat, en daarna nog wat langer. Blijf dit diezelfde nacht en de nachten daaropvolgend zo doen.

Voordelen

♦ Vaak gaan kijken zorgt ervoor dat ouders niet ongerust worden en zich van allerlei in hun hoofd halen.

♦ Het kind voelt zich niet in de steek gelaten en u voelt zich minder schuldig omdat u het hebt laten huilen.

Nadelen

♦ Deze methode is alleen toepasbaar bij kinderen ouder dan een halfjaar.

♦ Het kan lang duren voor een kind 's nachts doorslaapt.

♦ Het geduld en de discipline die voor deze methode vereist zijn, zullen soms moeilijk op te brengen zijn.

♦ Uw telkens kort de kamer binnenkomen kan het kind juist in de war brengen en dan een averechts effect hebben.

heeft een kind dat 's nachts een aantal malen angstig wakker wordt, troost nodig. Ga naar het kind toe, probeer het te sussen, vertel het vriendelijk dat u bij hem bent en dat alles in orde is, maar probeer het kind niet uit bed te halen en laat het licht uit. Overtuig het kind ervan dat het gerust weer kan gaan slapen en ga de kamer uit.

Slaapwandelen

Slaapwandelen vindt meestal plaats in het eerste derde deel van de nacht, in de diepe slaap. Het extra aandeel diepe slaap zou kunnen verklaren waarom slaapwandelen meer bij kinderen voorkomt. De meeste kinderen die slaapwandelen beginnen daar voor hun tiende jaar mee. Het komt meer bij jongens voor dan bij meisjes, en er zijn aanwijzingen dat het een kwestie van erfelijke aanleg is. Het slaap/waakmechanisme is in de war waardoor de slaapwandelaar dagelijkse activiteiten als aankleden en wandelen heel goed kan uitvoeren zonder zich ervan bewust te zijn wat hij aan het doen is. Slaapwandelen kan van een paar minuten tot een uur duren en als ze wakker worden herinneren slaapwandelaars zich zelden wat ze gedaan hebben of waarom ze uit bed gestapt zijn. Zij die in hun slaap wandelen, praten ook vaak in hun slaap. Net als bij volwassenen, kunnen perioden van slaapwandelen in verband staan met perioden van spanning of angst. Een aantal geleerden zegt dat slaapwandelen veroorzaakt kan worden door geopathische stress (zie hoofdstuk 9).

Tegen slaapwandelen valt weinig te doen en de meeste kinderen ontgroeien de gewoonte mettertijd ook. Het is echter wel van belang de omgeving waar het kind slaapt zo veilig mogelijk te maken. Sluit deuren en ramen goed af en plaats een hekje aan de bovenkant van de trap. Slaapwandelaars doen veelal gelukkig geen ongewone of riskante dingen en de meeste zijn heel handig in het ontwijken van obstakels of gevaarlijke routes. Maar omdat het kind in de war en gedesoriënteerd kan raken is het raadzaam ieder risico te vermijden. Als u uw kind al slaapwandelend tegenkomt, breng het dan vriendelijk doch beslist weer naar bed.

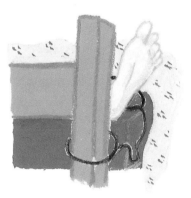

Veiligheid voor uw kind

Als u erg bezorgd bent kunt u het kind aan het bed vastbinden. Dat wil niet zeggen dat het zo strak vastgebonden moet worden dat het zich niet meer kan bewegen, maar dat er losjes een lang stuk touw rond de enkel gebonden kan worden dat ook aan het bed gebonden wordt, zodat het niet te ver weg kan lopen.

Nachtmerries

Bijna de helft van de kinderen krijgt voor het eerst een nachtmerrie tussen de drie en zes jaar. Het is niet duidelijk waarom kinderen deze verwarrende angstdromen hebben. Sommige psychologen gaan ervan uit dat zesjarigen op een leeftijd zijn dat ze het idee van de dood en de slaap proberen te vatten. Tijdens de slaap komen deze ongezonde angstgevoelens aan de oppervlakte in de vorm van nachtmerries. En kinderen piekeren natuurlijk ook als er spanningen in het gezin of op school zijn, of als ze op hun kop gezeten worden door anderen. Ze kijken televisie en zien video's, lezen boeken, spelen spelletjes en ontmoeten mensen die ze eng vinden. Onderdrukte angsten vinden vaak in dromen een uitlaatklep.

Kinderen herinneren zich vaak hun dromen en u kunt soms te weten komen waar uw kind zo over in zit door het te vragen wat hij of zij zich nog herinnert van de nare droom. Het is van belang dit op een liefdevolle manier te doen en het kind niet te forceren zich dingen te herinneren die het liever zou vergeten. Zeg dat het maar een droom was en dat dromen ons echt geen kwaad kunnen doen (zie ook bladzijde 58).

Plotseling wakker schrikken

Plotseling wakker schrikken komt minder vaak voor dan een nachtmerrie hebben, maar is toch niet ongebruikelijk in de vroege jeugd, vooral tussen de drie en zes jaar. Het plotseling wakker schrikken verschilt in verscheidene opzichten van een nachtmerrie. Het komt tijdens de eerst vier uur van de slaap voor, en nachtmerries juist vaker in het middelste en laatste gedeelte van de nacht. Het kan tien minuten duren maar ook een vol uur. Het kind zit plotseling gillend rechtop in bed met zijn ogen wijdopen, volkomen in de war en zich niet bewust van de aanwezigheid van de ouder. Er zijn geen aanwijzingen dat het kind negatieve gevolgen van zo'n aanval kan hebben; de meeste kinderen weten vaak niet eens meer waarvoor ze zo bang waren, en gaan, na getroost te zijn, gewoon weer slapen. U kunt weinig voor het kind doen als het zo'n angstaanval heeft. Houd het vast als het dat toelaat, maar wees niet verbaasd als het u wegduwt. Probeert u het kind niet wakker te maken, aangezien u het dan waarschijnlijk alleen nog maar meer in de war en angstig maakt. Het enige wat u kunt doen om verdere aanvallen te voorko-

Troost uw kind na een nachtmerrie

Een kind dat een nachtmerrie heeft gehad moet de kans krijgen de droom na te vertellen als hij of zij dat wil. Troost het kind en overtuig het ervan dat de droom niet echt was.

men is steeds voor voldoende rust te zorgen want dit plotseling wakker schrikken komt minder voor bij kinderen die voldoende slaap krijgen.

Bedwateren

Bedwateren (enuresis) komt veel vaker bij jongens dan bij meisjes voor en, net als andere parasomnieën, vooral in bepaalde families. Sommige kinderen blijven tot in hun adolescentietijd in bed plassen. Bedwateren is so wie so een gevoelig onderwerp en dit wordt des te erger naarmate het kind ouder wordt. Moedig het kind aan vóór het slapen gaan naar de wc te gaan en liefst niets te drinken, maar laat het wel drinken als het echt dorst heeft. U kunt ook wat van de natuurlijke remedies die in deel vier besproken worden proberen. Prijs het kind als het droog gebleven is, maar geef het niet de schuld en zeker geen straf als er een ongelukje is gebeurd. Als het kind beschaamd of angstig wordt, maakt dat de zaak alleen maar erger.

Bedwateren heeft zelden een fysieke oorzaak - als dat zo is, zijn er ook overdag symptomen te zien. Meestal is het een teken van psychische spanning. De komst van een nieuwe baby, verandering van school, of uiteengaan van de ouders kan bedwateren veroorzaken bij kinderen die al 's nachts droog waren.

In de meeste gevallen komt het kind van het bedwateren af als de ouders maar veel geduld en begrip opbrengen. Als het probleem echter heel ernstig is, kan het nodig zijn professionele hulp te zoeken. In Amerika hebben deskundigen op het gebied van slaapstoringen succes geboekt met programma's waarin kinderen hun blaas onder controle leren krijgen. Niet alle kinderen reageren hier gunstig op. Sommige ouders kunnen goed werken met een combinatie van een zoemer en een onderlegger. De onderlegger komt onder het laken te liggen en de elektrische zoemer gaat af als het laken nat wordt. Het kind wordt op die manier getraind wakker te worden en naar de wc te gaan als het zijn blaas moet ledigen. Het is een veilige en succesvolle methode. Een aantal kinderen krijgt imipramine voorgeschreven, een medicijn dat meestal gebruikt wordt voor depressie bij volwassenen. Een van de nevenverschijnselen van dit middel is een verbeterde controle over de blaas.

Bedwateren bij een kind dat al droog was
Als een ouder kind plotseling weer in bed plast terwijl dit voorheen nooit een probleem was, doet u er goed aan uw huisarts te raadplegen aangezien het om een lichte infectie van de urinewegen zou kunnen gaan.

Vaste gewoonten bij het naar bed gaan

De meeste kinderen voelen zich zeker bij een vaste dagelijkse routine omdat dat een veilig kader vormt voor de spannende, onvoorspelbare en soms verwarrende gebeurtenissen van alledag. Een kind dat zich overdag niet zeker voelt, zal 's avonds extra behoefte aan veiligheid hebben. Daarom is het nuttig aan het eind van de dag tijd vrij te maken voor een plezierig bedtijdritueel, want dat kan het kind helpen zijn zorgjes van de dag van zich af te zetten en eventuele nachtelijke problemen voorkomen. Ook als uw kind geen slaapprobleem heeft, is zo'n prettig ritueel bij het naar bed gaan van belang, al was het maar omdat het terugvallen op een bestaand ritueel gemakkelijker is dan een nieuw te bedenken, mocht er in de toekomst wel sprake zijn van slaapproblemen.

Massage

Als uw kindje onrustig is, geeft u het een massage. Zachtjes strelen is ontspannend voor beiden en maakt dat uw baby zich veilig en geliefd weet.

Tijd voor het bad

De meeste kleine kinderen zijn dol op een uitgebreid bad, want dan kunnen ze naar hartelust met water spelen en krijgen ze bovendien alle aandacht. Doe eens een paar druppels etherische olie, lavendel of kamille in het badwater: dit heeft een extra ontspannende werking.

Maak het gezellig

Het naar bed gaan is hét tijdstip om tekenen van genegen-
heid uit te wisselen. Een zoen en een knuffel, een praatje aan
het bed over wat het kind misschien bezighoudt, zijn bij uitstek manieren om een kind de benodigde emotionele zeker-
heid te geven.

Houd u aan een vast schema

Een schema werkt alleen als u er aan vasthoudt en een ritueel voor het naar bed gaan maakt daar deel van uit. Beslis op
welk uur het kind volgens u in bed moet liggen en houd u
daar dan ook aan. Als dat tijdstip dagelijks of wekelijks wis-
selt, raakt niet alleen het kind, maar ook zijn slaappatroon
van slag.

Een verhaaltje voor het slapengaan

Voor veel kinderen is het verhaaltje bij het slapengaan het
prettigste deel van de bedtijdroutine. In de
wetenschap dat nu het verhaaltje komt,
springen kinderen vaak vrolijk uit zichzelf in bed.

Uitsteltactieken

Wees vastbesloten wat betreft het
aantal verhaaltjes dat u gaat vertellen. Sommige kinderen blijven zeu-
ren om méér om zo het slapengaan
uit te stellen. Probeer vooraf samen
af te spreken welke verhaaltjes u
gaat lezen.

Denk aan het volgende

♦ Ga te werk volgens een
schema dat voor het hele
gezin plezierig is.

♦ Zend een kind nooit
voor straf naar bed.

♦ Vermijd onstuimige
spelletjes vlak voor het
slapengaan.

DEEL DRIE

Het opwekken van een heilzame slaap

Zorgenverdrijvende Slaap, zoon van de
sabelbonte Nacht, Broeder van de Dood,
in stille duisternis geboren: Neem mijn
lusteloosheid weg en breng het licht terug…

Samuel Daniel
1563-1619

Hoofdstuk 8

Uw slaapvriendelijke dag

'In oude tijden richtten de mensen die de Tao in acht namen hun leven volgens de principes van yin en yang in. En dus leefden zij in harmonie. Zij waren gematigd in hun eet- en drinkgewoonten. Op regelmatige uren stonden ze op en gingen ze slapen, zij leefden ordelijk en sprongen nooit uit de band. Hierdoor zorgden de ouden ervoor dat lichaam en ziel verenigd bleven, zodat zij de hun toegewezen spanne tijds op volmaakte wijze besteedden, en wel honderd jaar en ouder werden voor zij heengingen.'

Het Boek van de Gele Keizer
200 v. Chr.

Voor ieder die er naar streeft 's nachts beter te slapen, is de manier waarop de dag doorgebracht wordt even belangrijk als de wijze waarop de ogenblikken vlak voor het naar bed gaan verlopen. Zelfs chronische slapeloosheid kan verbeterd worden door een paar algemene gezondheidsregels in acht te nemen. Een gezondere voeding, overdag wat meer lichamelijke activiteit en aandacht voor het emotionele leven zullen lichaam en geest weer in balans brengen zodat u vanzelf beter gaat slapen. In hoofdstuk 5 hebben we al een aantal van de factoren die de slaap kunnen verstoren genoemd. Om uw dag 'slaapvriendelijk' te maken moet u deze factoren zoveel mogelijk vermijden.

Het nu volgende hoofdstuk gaat dan ook over verstandig eten, slapen en leven. We houden ons hier niet bezig met individuele voedingsproblemen zoals voedselallergieën, of ziekten die het onmogelijk maken bepaalde oefeningen te doen. U weet waarschijnlijk zelf beter dan wie ook wat u wel of niet kunt doen, wat u wel of niet kunt eten en wat binnen uw mogelijkheden ligt. U bent ook de enige die weet wat u daadwerkelijk voor uw gezondheid en uw geluk over heeft. Als u echter aan een ernstige, chronische kwaal lijdt, gehandicapt bent of een speciaal dieet nodig heeft, kunt u beter eerst een dokter of andere deskundige raadplegen vóór u uw leefwijze drastisch gaat veranderen.

Sta vroeg op

Als u slechts één advies uit dit boek wenst op te volgen, moet het het volgende zijn: begin uw slaapvriendelijke dag vroeg.

Sta vroeg op als u 's nachts goed wilt slapen. En niet nu en dan, maar iedere ochtend, óók tijdens de weekeinden. Regelmaat is van belang voor een constant lichaamsritme. Onze lichamen zijn erop gebouwd vroeg op te staan. Zoals

in hoofdstuk 1 beschreven staat, stijgt het peil van de 'wek'-hormonen adrenaline en corticosteroïde in de vroege ochtend, als een soort prikkelend tonicum voor ons lichaam.

Als u tot midden op de ochtend uitslaapt, betekent dat dat u pas na middernacht naar bed gaat en u dus niet voldoende van de helende kracht van de slaap kunt profiteren. Vroeg opstaan heeft nog andere voordelen. Als je met mensen praat die gewend zijn vroeg op te staan, zul je bijna altijd te horen krijgen dat de vroege ochtend het beste deel van de

Lichttherapie

Mensen die moeite hebben vroeg op te staan, kunnen baat hebben bij lichttherapie. Speciale lampen die het volledig spectrum van daglicht nabootsen, worden gebruikt om de pijnappelklier te prikkelen, die de lichaamsritmen beheerst doordat hij de hormonen serotonine en melatonine produceert (zie ook p. 27). Bij blootstelling aan helder licht in de ochtend wordt de productie van serotonine opgevoerd en wordt het lichaam aangemoedigd snel energie te gaan gebruiken zodat het 's avonds eerder aan slapengaan toe is.

Een lamp met een tijdschakelaar kan nuttig zijn in de slaapkamer. Wanneer de lamp aangaat, wordt u door het licht gewekt. Als u regelmatig gebruik maakt van een lamp met continu spectrum, voelt u zich, vooral in de winter, waarschijnlijk veel energieker en dus gelukkiger.

Help uw inwendige biologische klok een handje

Lichaam en geest zijn het meest gebaat bij een goede discipline en een regelmatige cyclus van rust en activiteit. Probeert u eens uit te vinden hoeveel slaap u nodig heeft; het kan meer of minder zijn dan de gemiddelde zeven of acht uur. Bepaal ook wat voor u de beste tijd is om op te staan en naar bed te gaan - en houd u daar dan aan. U kunt nog redelijk soepel zijn wat betreft het uur om te gaan slapen, maar zorg wel dat het vóór middernacht is.

Als uw biologische klok van slag is door een langdurig onregelmatig leefpatroon of bijvoorbeeld door een recente jetlag, zal het natuurlijke ritme van uw lichaam zich weer moeten herstellen. De beste manier daartoe is, uzelf te dwingen 's morgens vroeg op te staan, zelfs als u nog moe bent, zodat u die avond eerder naar bed kunt. Koop een wekker die genoeg lawaai maakt en zet hem ver weg zodat u uw bed wel uit moét om hem uit te zetten. Als u hem iedere ochtend op dezelfde tijd af laat lopen, zal dat uw biologisch ritme herstellen. Het helpt ook als de kamer licht is bij het wakker worden, dus als u erg dikke gordijnen hebt, doet u er goed aan met een elektrische schakelklok voor helder licht te zorgen. Ook die weer zó ver van het bed dat hij u zal dwingen op te staan. Na een paar weken merkt u waarschijnlijk dat uw biologische klok zich hersteld heeft en dat u al uit uzelf wakker wordt, nog vóór de wekker afloopt.

dag is. Er heerst op dat uur een stilte die verdwenen is als de rest van de wereld wakker geworden is. Het geeft je een periode van rust en kalmte waarin je op je gemak je plan voor die dag kunt trekken, kunt gaan wandelen, zwemmen, mediteren of yogaoefeningen doen. Voor velen is dit het creatiefste deel van de dag, je komt eerder op nieuwe ideeën en problemen lijken makkelijker op te lossen.

Vroeg opstaan is ook een belangrijk onderdeel van de Ayurveda geneeskunde. *Vata*, de *dosha* die met beweging en activiteit te maken heeft, overheerst op het vroege morgenuur. Iedereen met slaapproblemen zou op het *vata*-uur moeten opstaan - idealiter om 6 uur 's ochtends. Volgens de Ayurveda ontstaan er chaotische slaappatronen als je niet in harmonie met de *dosha's* werkt.

Vroeg naar bed

Doe het licht 's avonds liever eerder dan later uit. Mensen die na middernacht naar bed gaan en laat opstaan, schijnen maar weinig diepe slaap te krijgen en ondergaan afwisselend perioden van lichte, onrustige slaap en REM-slaap, ook als ze op zich wel lang genoeg slapen. Veel mensen voelen zich ook suf als ze proberen langer te slapen om gemiste slaap in te halen. Probeer naar uw lichaam te luisteren. Als u merkt dat u om negen uur begint te gapen of zelfs bijna in slaap valt, ga dan ook naar bed. Als u toch nog een halfuur opblijft, mist u misschien het gunstigste moment van uw ultradiaanse ritme (zie bladzijde 31). Als u vroeg opstaat bent u ook geneigd op een redelijk uur te gaan slapen. De Ayurveda raadt aan om ongeveer 10 uur 's avonds naar bed te gaan, maar welk uur u ook aanhoudt, ga alle dagen van de week op hetzelfde uur naar bed.

Omgekeerd kan iedere pijn of elk ongemak door verbetering van het voedingspatroon verlicht worden, en dit komt de slaap ten goede. Onze energie en fitheidsgraad hangen af van de kwaliteit van het voedsel waarmee wij ons lichaam aan de gang houden. Etenswaren hebben namelijk specifieke eigenschappen.

Voedsel voor een vredige slaap

Een goed voedingspatroon is een van de belangrijkste factoren bij een goede gezondheid en een goede nachtrust. Onze
manier van eten beïnvloedt op vele manieren onze slaap.
Ten eerste is het van invloed op onze gezondheid. Slechte
eetgewoonten vormen een belangrijke oorzaak van degene-
ratieve ziekten als kanker en hartziekten. Ze spelen een rol
bij chronische aandoeningen als artritis, allergieën, suiker-
ziekte en storingen in de spijsvertering en kunnen een factor
bij depressies zijn. Er is nauwelijks een ziekte te bedenken
waarop het voedingspatroon niet óf van gunstige óf van ongunstige invloed is. Bovendien zal iedere ziekte die ongemak
of pijn veroorzaakt de slaap beïnvloeden.

Voordelen van een vetarm dieet

Een dieet met weinig vet en veel koolhydraten kan helpen slapeloosheid die met
depressie te maken heeft, te verlichten.
In 1993 vond men bij een onderzoek onder 300 mannen en vrouwen dat depressie en vijandige gevoelens aanmerkelijk
afnamen als een cholesterolverlagend
dieet werd aangehouden. Sterker nog,
het psychologisch welbevinden nam toe.

Ontbijt

Het ontbijt is de belangrijkste maaltijd van
de dag. Als u vroeg opstaat hebt u het meeste zin in een voedzaam en versterkend ontbijt. Neem volkorenbrood en -graanproduc-
ten, yoghurt, fruit en vers vruchtensap om
uw energiepeil hoog te houden tijdens de
ochtend. Vooral fruit is uitstekend geschikt
aangezien het veel vitaminen en natuurlijke
suikers bevat die uw bloedsuikerpeil zullen
verhogen.

Lunch

Kies voor fruit, groenten en veel samengestelde koolhydraten om uw energie op peil te houden. Neem liever
volkorenbrood, bruine rijst en pasta dan bewerkte producten; zo bent u verzekerd van een aanhoudend grote
dosis energie. Neem slechts kleine hoeveelheden van
proteïnen als vis, kip, eieren, vlees, bonen en peulvruchten. Proteïnen stimuleren de productie van dopa-
mine, een stof die in adrenaline omgezet wordt. Daarom kunnen de proteïnen die in uw lunch zitten, u door
de middag heen helpen.

Avondmaaltijd

Uitgebreide maaltijden laat op de avond zijn niet bevorderlijk voor een goede slaap. Eet ten minste twee uur voor het
naar bed gaan en houd de maaltijd licht. Kies samengestelde
koolhydraten zoals pasta, bruine rijst, aardappelen en volkorenbrood en combineer ze met eieren, zuivelproducten en
een weinig vlees of vis, vanwege het kalmerende aminozuur
tryptophaan. Vegetariërs verkrijgen hetzelfde effect door samengestelde koolhydraten te combineren met linzen en
peulvruchten. Voeg daar sla en groenten aan toe voor een
verfrissend, licht verteerbaar avondmaal.

Alcohol

Hoewel het niet raadzaam is er
een dagelijkse gewoonte van
te maken, kan zo nu en dan
een drankje een goede slaper
niet deren. Als het in matige
hoeveelheden genoten wordt -
een klein borreltje of een glas
wijn bij het avondeten - kan
het zelfs een ontspannende
werking hebben. U kunt eventuele slechte bijwerkingen tot
een minimum beperken door
slechts bij of na een maaltijd
te drinken. Alcohol die bij het
eten wordt gedronken, wordt
namelijk langzamer in het
bloed opgenomen. Verlies
nooit uit het oog dat te veel
alcohol juist stimulerend
werkt.

Snacks tussendoor

Fruit, zonnebloempitten en ongezouten noten helpen de energie en geestelijke alertheid op peil
te houden dankzij hun gehalte aan borium en selenium. Dit zijn spoorelementen die u helder en
opgewekt houden. Rozijnen verhogen ook de energie en versterken het zenuwgestel dankzij een
stof, oenocyanine genaamd, die, samen met bepaalde suikers, voor energie zorgt.

Snacks op de late avond

De samentrekkingen van een lege maag kunnen rusteloze bewegingen veroorzaken en u zelfs
wakker maken. Een laag bloedsuikerpeil 's nachts kan de slaap verstoren doordat u er van gaat
transpireren. Dit kunt u met een licht hapje voor het slapengaan voorkomen. Een slaapopwekken-
de sandwich met sla of een sandwich met banaan, avocado of pindakaas zijn daarvoor geschikt,
aangezien ze het slaapbevorderende tryptophaan bevatten. Een stuk toost en een glas melk of
een schaaltje yoghurt met ontbijtgranen zijn ook aan te bevelen op de late avond. Havermoutpap
geeft niet alleen 's ochtends energie, maar brengt 's avonds ook een geïrriteerd zenuwstelsel tot
rust. Warme zuivel- en graanproducten werken goed. Citrusvruchten, vooral mandarijnen, bevatten een kalmerende stof die bromine heet en kunnen daarom een al te geprikkeld zenuwstelsel
tot rust brengen.

Sommige, zoals die met lichte proteïnen, geven energie; andere, bijvoorbeeld sla en zuiveldranken, zijn slaapverwekkend; weer andere, zoals geraffineerde suiker, cafeïne en te veel zout hebben geen enkele voedingswaarde en kunnen de gezondheid zelfs schaden.

Wat moet u wanneer eten?

De grondregels van een goed dieet vormen ook de basis voor een gezonde nachtrust. Verse, volwaardige producten - namelijk voedsel waaraan bijna niets is toegevoegd of aan ontnomen - behoren in de plaats te komen van kant-en-klaar maaltijden die vol zout, suiker en verzadigde vetten zitten. Zorg voor veel groenten, fruit; volkorengranen, brood, pasta en rijst, en een matige hoeveelheid mager vlees zoals dat in kip en viskroketten voorkomt. Vermijd koekjes, wittebrood, voorverpakte maaltijden, bewerkt voedsel in blik, etenswaren en drankjes met veel suiker, vet vlees en kant-en-klare vleesproducten. Zo af en toe kunt u zich best te buiten gaan aan diepvriesmaaltijden en 'snacks' zoals hamburgers, pizza's en frites, maar zij vormen bepaald niet de basis van een gezonde voeding.

Vitamine B

Een tekort aan vitamine B, dat vooral veel voorkomt in volkorengranen, wordt wel met stress en slapeloosheid in verband gebracht. U loopt het risico een tekort aan deze vitamine op te bouwen wanneer u veel producten eet die van witte bloem zijn gemaakt, waaruit de vitamine B is weggehaald. Bij stress wordt veel vitamine B als het ware snel opgebruikt. De B-vitaminen zijn met name belangrijk voor het zenuwstelsel. Zij moeten samen in balans zijn, dus als u extra vitamine B slikt, let dan op dat het álle vitaminen van het B-complex bevat.

Stimulerende stoffen in het eten

Stoffen als zetmeel, suiker en zout kunnen u wakker laten liggen. Zout kan oorzaak zijn van slapeloosheid en smaakstoffen op zoutbasis als monosodium glutamaat schijnen de uiteinden van de zenuwen te prikkelen, wat leidt tot hyperactiviteit en niet kunnen slapen. Overmatig gebruik van suiker wordt ook genoemd als oorzaak van hyperactiviteit bij kinderen.

Voedseltoevoegingen in de vorm van chemische kleurstoffen, smaakstoffen en conserveringsmiddelen zijn in alle bewerkte producten aanwezig. De meeste toevoegingen zijn onschuldig, maar sommige worden met hyperactiviteit in verband gebracht. Kunstmatige zoetstoffen als aspartaam en sommige kleurstoffen (met name tartrazine) zijn het ergste. Kinderen zijn hier des te gevoeliger voor, aangezien hun immuniteitssysteem nog niet volledig opgebouwd is.

Wees actief

Mensen die lichamelijk werk in de openlucht doen - bijvoorbeeld boeren, vissers, bouwvakkers en houtvesters - zullen overdag genoeg frisse lucht en beweging krijgen om 's avonds tijdig naar hun bed te verlangen. Maar als u zittend werk doet, krijgt u waarschijnlijk niet genoeg beweging in de frisse lucht, tenzij u gewend bent naar uw werk te fietsen of regelmatig trimt. Op kantoor zitten kan mentaal uitputtend zijn, maar fysiek spant u zich juist te weinig in. Deze onbalans tussen lichaam en geest manifesteert zich vaak als onderbroken of onrustige slaap. Gebrek aan beweging leidt bovendien tot overgewicht en slappe spieren, de voorboden van snurken en slaap-apnoe. Regelmatige lichaamsbeweging daarentegen spant de spieren, vergroot de immuniteit en helpt tegen depressie.

Slaap is een natuurlijke reactie op lichamelijke vermoeidheid. Door regelmatige lichaamsbeweging in uw dagelijks patroon op te nemen, zult u waarschijnlijk meer en langer van de diepe slaap (waarin de meeste groeihormonen vrijkomen) gaan profiteren. Regelmatig 20 tot 30 minuten actief bewegen komt zowel de geestelijke als de lichamelijke gezondheid ten goede.

Kies een vorm van sport die u leuk vindt en die u zonder al te veel belasting of kans op blessures kunt beoefenen. Zwemmen en wandelen zijn allebei uitstekende aërobe activiteiten en voor mensen van alle leeftijden en fitheidsgradaties geschikt. De Ayurveda-experts zeggen dat u blessures en uitputting kunt voorkomen door tot halverwege uw capaciteit te gaan. Dus als u bijvoorbeeld weet dat 20 minuten joggen u volkomen uitput, doe het dan 10 minuten. Als u fitter wordt en bijvoorbeeld wel 30 minuten zou kunnen joggen, doe het dan slechts 15 minuten. De Chinezen zien lichaamsbeweging als een manier om de energieën van lichaam, geest en ziel weer met elkaar in balans te brengen om zo tot harmonie en gezondheid te komen. Systemen als *t'ai chi* en *qi qong* zien er wel uit of ze geen lichamelijke inspanning vergen, maar onderzoek heeft uitgewezen dat regelmatige beoefening de spanning in spieren en zenuwen verlaagt.

Wanneer moeten wij bewegen?

De ochtend, de namiddag of vroeg in de avond, het zijn allemaal geschikte momenten om wat aan lichaamsbeweging te doen. Alleen laat op de avond kunt u zich beter niet te zeer inspannen. Zorg dat er ten minste twee uur tussen uw oefeningen en het naar bed gaan zit. Sommige vormen van zeer lichte oefeningen zoals bijvoorbeeld yoga, kunnen in uw voor-het-slapen-gaan routine ingebouwd worden (zie hoofdstuk 10).

Hoofdstuk 9

Uw slaapomgeving

Uw slaapkamer zou een vredige haven moeten zijn waarin de sfeer tot diep en ontspannen slapen nodigt. Een plek om alles van je af te zetten, intiem te zijn en de rest van de wereld buiten te sluiten. Alles in de kamer, de temperatuur, de matras, de kleuren, zelfs de plaats van het bed is van groot belang voor een vredige slaap. Als u beter wilt slapen, zijn er vele manieren om dat te bereiken, maar u kunt het beste beginnen uw slaapkamer aan een nader onderzoek te onderwerpen.

De ligging van uw slaapkamer

Waar u allereerst op moet letten, is de plaats van de slaapkamer in het huis. Natuurlijk hebben wij dat lang niet allemaal voor het kiezen, maar bij een verhuizing is het de moeite waard hier aandacht aan te besteden. Ons gezond verstand zegt ons dat een kamer aan de achterkant van het huis, weg van het verkeerslawaai en het schijnsel van de lantarenpalen, de beste plaats is voor iemand wiens slaap gemakkelijk onderbroken wordt.

U zou ook moeten letten op de noord-zuid richting van de ramen in uw slaapkamer; kinderen zijn het meest gebaat bij een slaapkamer op het oosten zodat ze kunnen profiteren van de energie-schenkende kracht van de opkomende zon, terwijl oudere mensen misschien beter af zijn met een kamer op het westen: daarin kunnen de kalmerende stralen van de ondergaande zon naar binnen komen. Als een slaapkamer op het zuiden ligt, worden alle licht en energie van de zon verspild, aangezien de meeste slaapkamers overdag niet gebruikt worden.

'Zieke slaapkamers'

Mensen die in moderne kantoorgebouwen werken lijden nogal eens aan symptomen die onder de noemer 'ziekegebouwensyndroom' vallen. Deze symptomen, zoals misselijkheid, depressie, hoofdpijn, ademhalingsproblemen en vermoeidheid, worden als gevolg van het effect van elektrische apparatuur en synthetische materialen en bekleding van meubilair beschouwd. In mindere mate kan ook uw slaapkamer 'ziek' genoeg zijn om uw gezondheid en de kwaliteit van uw nachtrust aan te tasten.

Feng shui in de slaapkamer

'Feng shui' staat voor de traditionele Chinese binnenhuis-kunst. De oude Chinezen dachten dat de aarde, de atmo-sfeer en iedere mens of ieder voorwerp onder invloed staat van en op hun beurt ook weer invloed uitoefent op de stroom van universele kracht, de *qi* geheten. Feng shui-aan-hangers streven ernaar gebouwen, kamers en meubelen zo te plaatsen, dat wij in harmonie met de energiebanen die door de aarde heen lopen, kunnen leven. De feng shui-theo-rie heeft veel gemeen met de leer van de geomantiek, over de elektromagnetische energie in de aarde en hoe die door lij-nen en figuren ons leven beïnvloedt. Als deze energie nega-tief is, kan dat geopathische stress opleveren (zie het kader hieronder).

De natuurlijke energie van de aarde kan echter ook een krachtige, helende werking uitoefenen. Het gaat erom de ge-bieden met slechte invloed te vermijden en te profiteren van de gunstige plaatsen. Als u feng shui in uw huis toegepast wilt zien, kunt u het beste een professionele raadgever con-sulteren die bij u thuis de situatie komt opnemen.

Slaapkwaliteit in de pool-streken

Een onderzoek bij werkers in de poolgebieden wees uit, dat zij slechts weinig diepe slaap genoten als gevolg van het po-laire magnetische veld. Pas een jaar nadat zij weer thuis-gekomen waren, had hun nor-male slaappatroon zich her-steld.

Geopathische stress

Geopathische stress is de naam die aan de natuurlijke en kunstma-tige elektromagnetische krachten rondom ons gegeven wordt. Deze energie bevat ook krachten uit de aarde zelf. Deze krachten zijn het duidelijkst waar te nemen boven een ondergrondse stroom, bij geologische breuken in de aard-korst, en bij diep uitgegraven gebieden als mijnen. Elektromagnetische energie wordt ook opge-wekt door hoogspanningsmasten, radio's, televisietoestellen en computers. Samen kunnen deze krachten onze gezondheid nadelig beïnvloeden.

Regelmatige blootstelling aan geopathische stress kan het immuunsysteem aantasten en de li-chaamsfuncties in de war brengen. Men denkt, dat het bij mensen die daar extra gevoelig voor zijn, allerlei symptomen als slaapwandelen, slapeloosheid, depressie, verhoogde bloeddruk en zelfs kanker kan opwekken. Slaapstoringen, slapeloosheid, tandenknarsen, slaapwandelen en 's nachts koud of rusteloos zijn, worden als tekenen van geopathische stress opgevat. Aangezien wij een derde deel van ons leven in bed doorbrengen, is het de moeite waard ervoor te zorgen dat de slaapkamer vrij van geopathische stress is. Een dergelijk gebied kan heel klein zijn en soms is het verschuiven van het bed naar een andere kant van de kamer al genoeg om buiten de invloeds-sfeer te komen. Professionele wichelroedelopers kunnen met simpele testmethoden eventuele geopathische stress op het spoor komen.

Een heiligdom creëren

Kijk eens goed rond in uw slaapkamer en vraag uzelf af of het echt een plek is waar het goed rusten en ontspannen is, in een intieme sfeer. In slaapkamers hoort niet gewerkt of gepiekerd te worden, ze horen slechts aan slapen en seks gewijd te zijn. De slaapkamer is een van de weinige plaatsen waar u zich volkomen ontspannen, ofwel alleen, ofwel in intimiteit met uw partner, moet kunnen voelen. Als uw slaapkamer niet alleen een ruimte om te slapen is, maar ook een soort kantoortje of rommelhok, wordt het tijd daar verandering in aan te brengen.

Volgens de feng shui is het het allerbelangrijkste alle rommel in huis op te ruimen. Geef dingen waar u niet meer om geeft weg of verkoop ze, dat schept rust. Alle dingen die met werk te maken hebben, zoals computers en elektrische apparaten horen niet in een slaapkamer thuis. Televisie is niet alleen visueel prikkelend, er gaat ook een ongezonde elektromagnetische straling van uit. Vervang een radio die op netspanning werkt door een die op batterijen loopt, en gebruik een wekker die u met de hand moet bedienen. Als u op kamers woont, in een studio of in één grote ruimte, maak dan tussen bed en werkruimte een scheiding door middel van een scherm, gordijn of boekenkast of breng symbolisch een scheiding aan door het gebruik van een spiegel, mobile of planten.

De inrichting van uw slaapkamer

Er zijn verschillende manieren waarop u, door de inrichting van uw slaapkamer te verbeteren, een gezondere slaap kunt bevorderen. Probeer echter niet alles in één keer te veranderen en verander geen dingen waarmee u eigenlijk heel tevreden bent. De suggesties die wij geven zullen niet tot ieders mogelijkheden behoren en misschien ook niet bij iedereen in de smaak vallen, maar eens goed over uw inrichting nadenken, kan de nachtrust aanmerkelijk verbeteren.

Planten

Kamerplanten neutraliseren luchtvervuilende stoffen en hoewel ze 's nachts wel zuurstof aan de lucht onttrekken, wegen de voordelen op tegen dit nadeel.

Deuren

De verhouding tussen de deur en uw bed is van doorslaggevend belang voor de mate van welbevinden. Zet uw bed zo neer dat u de deur kunt zien, maar niet recht in de energiestroom ligt die erdoor binnenkomt. Hang als dat niet mogelijk is, een mobile of door de wind bewogen klokjes op, dan hebt u in ieder geval een symbolische scheiding.

Ventilatie

Het tegen elkaar openzetten van ramen en deuren is de doeltreffendste manier om een bedompte of te warme slaapkamer te luchten. Zet aan verschillende kanten van de kamer de ramen tegen elkaar open, of een deur en een raam en doe dan elders in het huis nóg een raam open om de ventilatie goed door uw kamer te laten trekken.

De vloer

Houten vloeren of vloeren van kurk bevatten minder allergene stoffen dan tapijt. Leg eventueel wasbare katoenen kleedjes neer voor het comfort.

Spiegels

Spiegels kunnen in een slaapkamer verwarrend werken, omdat zij de weerkaatste energie intensiveren. Zet geen spiegel tegenover uw bed want die zal 's nachts stimulerende energie in de richting van uw bed weerkaatsen. Als er moeilijk een geschikte plaats te vinden is, kunt u hem het beste in een (garderobe)kast bergen of hem 's nachts afdekken.

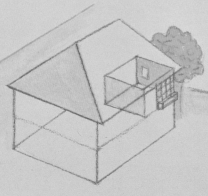

Ramen

Gebruik zware of gevoerde gordijnen om lawaai en licht buiten te sluiten. Dubbele beglazing helpt ook tegen geluidsoverlast.

Het bed

In de feng shui wordt aangeraden niet met het hoofd tegen of onder een raam te slapen aangezien het voor een gevoel van veiligheid en echte ontspanning noodzakelijk is een solide achtergrond voor het hoofd te hebben.

Verlichting

Tijdens het slapen kunt u de kamer het best zo donker mogelijk houden. Feng shui-deskundigen zouden u aanraden het bed niet in direct zonlicht te plaatsen, aangezien zonlicht staat voor de dag en actief zijn en zo de slaap zou kunnen verstoren. Type verlichting en plaats van de lampen kunnen ook van invloed zijn op de sfeer die hiermee in de kamer wordt opgeroepen en het effect hiervan op u. Zachte verlichting op verschillende punten en bijverlichting aan de muur geven een rustgevender licht dan het harde schijnsel van één lamp in het midden.

Berging

Houd kleding en andere bezittingen in afgesloten kasten uit het zicht om het ook visueel rustig te houden.

Een ionisator

Een ionisator is een elektrisch apparaat dat negatieve ionen uitzendt om de atmosfeer van te veel stof, rook en een aantal allergenen te vrijwaren. Ionen zijn positief en negatief elektrisch geladen moleculen. Een gezond evenwicht tussen positieve en negatieve ionen zorgt voor een gevoel van kalmte en welzijn. Maar centrale verwarming, elektrische apparaten, synthetische materialen, vervuiling en stof verlagen het negatieve ionenpeil, wat hoofdpijn, prikkelbaarheid en algemene onlustgevoelens tot gevolg kan hebben.

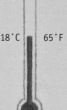

18 °C   65 °F

Temperatuur

Voor de meeste mensen is een temperatuur van ongeveer 18 °C de gunstigste slaaptemperatuur. Meestal is het 's winters nodig de kamer te verwarmen om de hele nacht zo'n temperatuur in de kamer te hebben.

Het juiste bed

Aangezien wij bijna allemaal één derde deel van ons leven in bed doorbrengen kunnen we het bed als verreweg het belangrijkste meubelstuk van ons huis beschouwen. Hoewel aangeraden wordt iedere tien jaar een nieuw bed aan te schaffen, doet men gemiddeld 17 jaar met hetzelfde bed en schikt zich in het feit dat de nachtrust steeds minder comfortabel wordt dankzij het met de jaren steeds slapper, bobbeliger en uitgezakter wordende bed. In een eerste onderzoek op dit gebied vermeldden Franse wetenschappers dat zelfs slechte slapers in een nieuw bed eerder insliepen, minder vaak wakker werden en bijna een uur langer sliepen dan in een bed dat 10 jaar oud was.

We hebben allemaal verschillende behoeften wat de keuze van een bed betreft. Iemand die aan de magere kant is zal misschien liever een zachter bed hebben, dan iemand met rugproblemen die liever op een stevige of orthopedische matras zal willen slapen. Sommige paren hebben graag twee bijbehorende bedden naast elkaar die individueel toegerust kunnen worden, liever dan het conventionele dubbele bed.

Een matras kiezen

Een goede matras is van essentieel belang voor een goede nachtrust. In het algemeen geldt: hoe duurder hoe beter, maar blijf in het oog houden welke matras het meeste comfort en de beste steun geeft. Het is niet waar dat stevige matrassen per se beter zijn. Een bed dat te hard is kan evenveel problemen veroorzaken als een te zacht of bobbelig bed. Als u er een uitprobeert, ga dan liggen en laat uw platte hand in het kuiltje van uw rug glijden. Als u er een wig tussen de matras en uw rug van moet maken is de matras te zacht; als er een holte tussen zit is de matras te hard.

U zult ook het soort materiaal moeten kiezen. Stel gerichte vragen over de verschillende soorten matras en controleer of de binnenkant in staat is de halve liter vocht op te vangen die wij 's nachts minstens verliezen. De meeste matrassen hebben metalen springveren. In het algemeen geldt: hoe meer springveren, hoe beter het bed, maar springveren schijnen wél de invloed van elektromagnetische straling te verergeren. Doordat ze van metaal zijn, fungeren ze als een soort magneet die de natuurlijke magnetische velden van de aarde vervormt, wat kan leiden tot elektrostress. Als u geen matras met springveren wilt, is een matras van kunststof

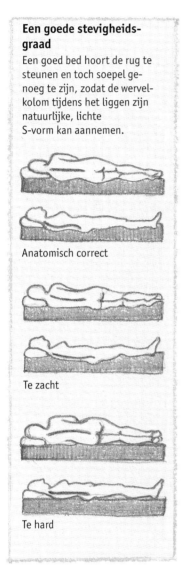

Een goede stevigheidsgraad

Een goed bed hoort de rug te steunen en toch soepel genoeg te zijn, zodat de wervelkolom tijdens het liggen zijn natuurlijke, lichte S-vorm kan aannemen.

Anatomisch correct

Te zacht

Te hard

ook mogelijk, die is soepel en duurzaam tegelijk. Matrassen van latex, een stof die uit het sap van de rubberboom verkregen wordt, zijn weliswaar duur maar zeer comfortabel en sterk en ze hoeven niet gekeerd te worden. Andere nieuwe matrassen hoort u het eerste half jaar iedere maand te keren (zowel de zijden als voeten- en hoofdeinde) en daarna ten minste eenmaal per jaar.

Het voordeel van een futon

Futons zijn traditionele Japanse matrassen die van natuurlijke materialen zijn gemaakt. De calico hoezen zijn met laagjes katoen en wol gewatteerd en de matras past op een houten lattenbodem. Futons bieden verscheidene voordelen, met als voornaamste, dat de bodem een goede ventilatie garandeert en stof en andere allergenen niet toelaat, hetgeen belangrijk is voor mensen met astma en allergieën. De natuurlijke vezels waaruit de matras is opgebouwd, laten de lucht zo circuleren dat de huid tijdens de slaap goed kan ademhalen en omdat er geen metalen springveren in zitten is er minder kans op elektromagnetische spanning. Futons zijn even comfortabel en ondersteunend als ieder ander goed bed. Zij hebben wel een kortere levensduur dan een conventioneel bed, slechts zo'n vier tot vijf jaar, maar zij kosten ook maar een fractie van wat een goede kwaliteit springveren matras kost.

Bedmaat

Een bed hoort ten minste 15 cm langer te zijn dan degene die erin ligt, en een dubbel bed moet minstens 135 cm breed en een enkel bed 90 cm breed zijn. Dit biedt de slaper voldoende ruimte om zich te bewegen en de wervelkolom uit te strekken, die zich overdag samentrekt en 's nachts ongeveer 2 cm langer wordt.

Slaaphouding

De richting waarin uw hoofd ligt kan uw slaap beïnvloeden. Charles Dickens sliep altijd met zijn hoofd naar het noorden - ook al moest hij daarvoor de meubels verschuiven. Anderen echter, zoals mensen die aan yoga doen, zijn van mening dat dat juist slecht is en dat je het beste met je hoofd in oostelijke richting kunt slapen.

De Chinezen geloven dat je het best op je rechterzij kunt liggen met de benen licht gebogen en de rechterarm gebogen vóór het kussen. De linkerarm moet op de linkerdij liggen. In deze positie kan het bloed vrijelijk circuleren en de *hun* (de etherische ziel, zie bladzijde 18) blijft dan stevig in de lever verankerd.

Een goed kussen

Uw hoofd zorgt voor een vijfde van uw lichaamsgewicht, dus het verdient een goede ondersteuning tijdens het liggen. Een goed kussen zorgt ervoor dat uw hoofd zich dan net zo ten opzichte van uw schouders en uw wervelkolom bevindt als wanneer u rechtop staat. Het soort kussen dat u kiest hangt af van uw slaaphouding. Als u bij het inslapen graag op uw rug ligt, probeert u dan een kussen van gemiddelde stevigheid dat voldoende meegeeft. Als u op uw zij slaapt, moet u uw hoofd en nek met een uitgesproken stevig kussen ondersteunen, maar als u op uw buik slaapt, zal juist een zacht kussen minder spanning op de nek geven.

De meeste kussens zijn van synthetische vezels of schuim gemaakt. Die zijn goed voor mensen met een allergische aanleg en kunnen gemakkelijk in de wasmachine gewassen worden. Kussens van dons of veren zijn luxueuzer maar u moet eerst zeker weten dat u niet allergisch voor veren bent.

Kruidenkussens

Sommige mensen vinden het prettig een klein extra kussen gevuld met hop of kruiden te gebruiken. Kruiden hebben inderdaad genezende eigenschappen, maar het effect ervan is nihil als de lucht u juist irriteert, dus ruik er eerst eens uitgebreid aan voor u ze koopt.

De aankleding van het bed

Een prettige temperatuur is van vitaal belang voor een goede nachtrust en de kwaliteit van dekbedden, dekens, et cetera speelt hierin een sleutelrol. De meeste mensen hebben tegenwoordig dekbedden aangezien die warm en toch licht van gewicht zijn en bovendien gemakkelijker op te maken. Je kunt er echter bij verandering van temperatuur niet zo gemakkelijk als bij het gebruik van dekens een laagje op of af doen, en dat is de reden dat sommige mensen nog altijd de voorkeur aan dekens geven. Veel dekbedproducenten maken tegenwoordig vier seizoenen-dekbedden. Meestal zijn dat twee dekbedden van verschillende zwaarte, die, als ze aan elkaar geklit zijn, 's winters de benodigde extra warmte geven, terwijl ze 's zomers enkel gebruikt kunnen worden. Natuurlijke materialen en vullingen zijn te prefereren, aangezien die de huid beter laten ademen. Synthetische vullingen zijn voor mensen met allergieën echter beter dan veren. Voor baby's zijn dekbedden niet geschikt: voor wiegjes en kinderbedden zijn zachte katoenen lakens en losgeweven katoenen dekentjes het best.

Warm blijven in bed

Een van de makkelijkste manieren om 's nachts warm te blijven is meer kleren aan te trekken. Natuurlijke materialen als katoen en wol zijn heel effectief en laten de huid toch ademen. Het is ook gemakkelijker warm te blijven als het bed al warm is als u erin stapt. Leg ongeveer een halfuur vóór u naar bed gaat een warmwaterkruik in uw bed, maar haal hem er weer uit als u slapen gaat. Gebruik liefst geen elektrische dekens aangezien zij elektromagnetische straling afgeven (zie bladzijde 105).

Kleurkeuze in de slaapkamer

Artsen en psychologen zijn het met kleurtherapeuten eens dat kleur onze stemming en gedrag enorm kan beïnvloeden. Intuïtief geven wij onze gevoelens al vaak in termen van kleur weer. De uitdrukkingen 'rood worden tot in zijn haar', 'witheet van woede zijn', 'groen zien van jaloezie' geven aan hoezeer kleuren met onze emoties verweven zijn. Een Amerikaans onderzoek naar de stemmingen onder gevangenen wees uit, dat zij kalmer werden en gemakkelijker onder controle te houden bleken toen de muren van hun cellen in een tere kleur roze geschilderd werden. Als kleur zelfs op geharde misdadigers zo'n verzachtende invloed kan hebben, is het niet verwonderlijk dat de kleur van uw slaapkamer de kwaliteit van uw slaap voor een groot deel bepaalt.

Wij ondergaan de invloed van kleuren ieder op onze eigen manier, maar er zijn wel algemene richtlijnen over kleureigenschappen en de manier waarop een kamer met verschillende kleurnuances veranderd kan worden. Volgens de feng shui zijn zachte kleuren voor een slaapkamer het best. Warm roze, een zachte perzikkleur, kalmerende roomkleuren en rustgevend bleekgroen, en zelfs bleek-paars en lila zijn aan te bevelen kleuren voor de slaapkamer.

Roze - Warm roze en perzikachtige kleuren zijn het meest rustgevend.

Geel en aardetinten - Sterke gele kleuren, oranje en bruinen zijn te enerverend voor een slaapkamer, hoewel bleek geel en beige nog wel kan.

Groenen - Bleekgroen kan kalmerend werken in een slaapkamer maar donkerder tonen kunnen deprimerend zijn.

Blauwen - Feng shui-aanhangers neigen ertoe blauw te vermijden, hoewel sommige kleurtherapeuten juist geloven dat blauw, en dan in het bijzonder bleke lila kleuren, rustgevend en kalmerend kunnen zijn.

Roden - Rood werkt opwindend en stimulerend (men heeft bewezen dat het bloeddrukverhogend werkt), en moet dus liever vermeden worden als u prijs stelt op een vredige nachtrust.

Vermijd allergenen in de slaapkamer

Allergieën kunnen de slaap nadelig beïnvloeden doordat men zich niet goed voelt of het benauwd heeft. Allergische symptomen treden op als uw lichaam op een abnormale manier op iets reageert. Het aanraken of slechts in kleine hoeveelheden inademen van deze stoffen (allergenen) laat het lichaam op een dergelijke manier reageren, waarbij symptomen optreden als niezen, een kriebelige, verstopte neus of een loopneus, waterige ogen, hoofdpijn en zelfs licht depressieve gevoelens. Ademhalingsmoeilijkheden komen veel voor, wat ook snurken kan veroorzaken en soms wordt men wakker van het gevoel niet meer te kunnen ademhalen. Artsen schrijven in deze gevallen wel antihistaminen voor, maar voorkoming is nog altijd een beter alternatief dan het onderdrukken van symptomen.

Veel van zulke allergene stoffen zijn in de doorsnee slaapkamer te vinden, dus is het verstandig na te gaan of uw slaapkamer wel zo allergeenvrij is als u wel denkt.

Huisstofmijt

Hoewel onzichtbaar voor het blote oog, kan dit kleine insect allergieën en astma veroorzaken. De mijt gedijt vooral goed in warme, vochtige omstandigheden, dus is een bed voor hem de ideale behuizing, maar ook voor tapijt, zacht speelgoed, gordijnen en bekleding trekt hij zijn neus niet op. Het is niet de mijt zelf, maar zijn uitwerpselen die zeer allergeen zijn en er zijn deskundigen die hem verantwoordelijk achten voor zeker de helft van alle astmagevallen.

Zelfs het allerschoonste en properste huis bevat huismijt, maar u kunt het tot een minimum beperken door de hele slaapkamer regelmatig te stofzuigen - tapijt, matras, gordijnen, draperieën en meubilair. Stofzuigers die goed filteren laten minder stof circuleren. Zorg ook voor een goede ventilatie, want een droge, goed geventileerde kamer met een minimale centrale verwarming, schrikt de huisstofmijt af. Het is ook verstandig meubelen met zachte, vaste bekleding zoveel mogelijk te vermijden. Als u het erg te pakken hebt, kunt u overwegen uw tapijt door een gladde vloerbedekking, bijvoorbeeld hout, kurk of ander niet-synthetisch materiaal te vervangen. Was regelmatig het beddegoed op hoge temperatuur en vervang oude kussens en matrassen door nieuwe. Er zijn ook speciale anti-allergische dekbedhoezen in de handel die de mijt op afstand houden.

Huishoudchemicaliën

Ga bij het kiezen van schoonmaakmiddelen en andere producten voor het huishouden zorgvuldig te werk. Schoonmaak-, poets-, bleek- en desinfecteermiddelen, en luchtverfrissers kunnen allemaal allergieën veroorzaken. De symptomen zijn onder andere: hoofdpijn, misselijkheid, neusslijmvliesontsteking, een piepende ademhaling, kuchen, eczeem en netelroos (galbulten). Gebruik zo mogelijk een alternatief middel. Koop zuivere bijenwas in plaats van een chemisch product voor meubels en houten vloeren, gebruik biologisch afbreekbare schoonmaakmiddelen voor verfwerk en andere oppervlakken, en azijn of soda voor het schoonmaken en desinfecteren. Als u om wat voor reden ook toch chemische schoonmaakmiddelen in uw slaapkamer gebruikt, zorg er dan voor dat ondertussen de ramen openstaan zodat de toxische stoffen naar buiten kunnen.

Bedden en meubels van spaanplaat, hardboard en vezelplaat kunnen formaldehyde afscheiden, net als tapijt, bekleding en bedgerei. Formaldehyde, een industrieel bind- en conserveringsmiddel, is in veel huishoudproducten en cosmetica aanwezig en staat bekend om zijn irriterende werking en mogelijk zelfs kankerverwekkende eigenschappen. U kunt board met een laag formaldehydegehalte krijgen maar nog beter is het om meubelen te kopen of te maken van solide, natuurlijk hout.

Gebruik waar mogelijk bedden en meubelen van hout of rotan en bedgerei en bekledingen van pure katoen, linnen of wol. Was alle bedgerei vóór u het voor de eerste keer gebruikt, omdat zelfs natuurlijk materiaal eerst gereinigd, gebleekt of gekleurd kan zijn, tenzij anders vermeld. Kamerplanten, vooral de gewone graslelie, zijn verrassend goed in het neutraliseren van formaldehyde in de atmosfeer.

Andere vervuilers

Huidschilfers van dieren zijn bekende allergenen. Dieren horen in de slaapkamer niet thuis, en mensen die hun huisdier hun slaapkamer met hen laten delen zouden eens goed over de gevolgen daarvan moeten nadenken. Schimmels gedijen in warme, vochtige ruimtes en laten allergie-oproepende sporen achter. Houd de kamer schoon, droog en goed geventileerd. De risico's van sigarettenrook zijn genoegzaam bekend. Houd rook buiten uw huis en zeker buiten uw slaapkamer.

Hoofdstuk 10

Uw avondprogramma

Slapen is het eindresultaat van een proces van geleidelijk afbouwen. Door de tijd te nemen als voorbereiding op het slapen komt men in de juiste stemming, wat de overgang van een drukke dag vol stress en prikkels naar een rustige en ontspannen avond versoepelt.

Ieder heeft zo zijn eigen routine voor het slapengaan. Als u er een hebt die voor u goed werkt, houd u daar dan aan. Maar mensen met slaapproblemen volgen meestal geen enkel herkenbaar of juist een volkomen verkeerd patroon. Als slapen voor u een probleem vormt, neem dan eens goed onder de loep wat u zoal doet in de uren vóór het naar bed gaan. Maak een lijst van alles wat u 's avonds na uw thuiskomst doet. Noteer op welk tijdstip u met iedere bezigheid begint en ophoudt en als u dit hoofdstuk uit hebt, kunt u beoordelen of uw avondprogramma wel of niet slaapbevorderend is.

De aanbevelingen in dit hoofdstuk zijn slechts suggesties, geen voorschriften. U hoeft niet ieder advies op te volgen: misschien merkt u al een verandering in de kwaliteit van uw slaap als u slechts één of twee dingen verandert.

Een duidelijke scheiding

Een duidelijke scheiding tussen de bezigheden overdag enerzijds en de passiviteit van een ontspannen avondje anderzijds, werkt slaapbevorderend. Als u piekert over uw werk of geldzaken of bang bent dat u een belangrijke afspraak vergeet, is het heel moeilijk dat 's avonds (en 's nachts) van u af te zetten. U maakt het uzelf gemakkelijker door alles wat u dwarszit op te schrijven.

Doe dit als u uit uw werk komt of als u klaar bent met de belangrijkste bezigheden van de dag. Het lijstje moet een soort verslag van de gebeurtenissen van die dag zijn en een

plan voor de volgende dag bevatten. Als een probleem opge-
schreven wordt, ziet het er vaak op de een of andere manier
minder ingewikkeld uit. Als u meteen tot een bepaald besluit
kunt komen, aarzel dan niet maar los het op. Als er iets is wat
u meteen kunt oplossen, doe het dan en zet het van u af.

Ontspannen en afbouwen

Ontspanning is van vitaal belang om rustig in te kunnen
slapen en er zijn vele manieren om dat te bereiken. Ontspannen is niet: na de maaltijd voor de televisie in elkaar
zakken. Bij de meeste vormen van heilzame ontspanning is
het juist de bedoeling lichaam en geest te laten werken en
dan de spanning bewust los te laten. Dit mag met elkaar in
tegenspraak lijken, maar zachtaardige bewegingsleren als
yoga en *t'ai chi* heffen spanning in de spieren en geestelijke
stress juist op. Yoga kan wel energiebevorderend zijn, maar
de rustige strekoefeningen die in deel vier beschreven staan
zorgen voor een weldadige ontspanning die speciaal bedoeld is als inleiding op het slapengaan.

Ontspanningstapes

Ontspanningstapes of -cd's
kunnen van nut zijn. Er worden verschillende ontspanningsoefeningen op aangebo-
den, zoals visualisatie,
zelfhypnose of spierontspanning, maar ze leiden allemaal
tot een zelfde resultaat: een
tot kalmte gekomen lichaam
en geest, klaar om te gaan
slapen.

Progressieve ontspanningstechniek

Deze simpele techniek helpt spanning en 'knopen' in de spieren weg te nemen,
waardoor pijn verdwijnt.

♦ Lig of zit met uw ogen dicht in een onverlichte kamer. Begin met uw tenen en
houd gedurende drie tellen alle spieren strak gespannen, en laat ze dan weer los.

♦ Doe dit met alle belangrijke spiergroepen in uw lichaam, van uw tenen en vingertoppen tot en met de spieren in nek en gezicht: eerst aanspannen, dan loslaten.

♦ Adem ondertussen diep in: langzaam inademen door de neus, vijf tellen vasthouden en dan langzaam weer uitademen door de mond terwijl u in gedachten
telkens het woord 'kalm' zegt.

Passieve spierontspanning

Dit is een variant die ook door mensen met een handicap, die misschien moeite
hebben de spieren aan te spannen, uitgevoerd kan worden. U spant een spier
niet werkelijk aan, maar richt uw aandacht erop, voelt de spanning die er al zit,
en laat die dan los. U kunt dit proces versterken door u te verbeelden dat er een
langzame, warme golf van ontspanning door al uw spieren gaat, waarbij ze ver-
lengd en uitgerekt worden en alle harde plekjes en spanning eruit verdwijnen.

T'ai chi, wat 'heel zijn' betekent, is een oude Chinese bewegingsleer. De oefeningen bestaan uit een serie zeer langzame, gracieuze, dansachtige bewegingen, die 'meditatie in beweging' genoemd worden. De vloeiende bewegingen van *t'ai chi* helpen spanning en zorg en de emotionele angsten die tot slapeloosheid kunnen leiden te verlichten. Het is zonder ervaren leraar niet mogelijk *t'ai chi* echt onder de knie te krijgen, maar misschien is er een *t'ai chi*-groep in uw omgeving en kunt u het eens proberen.

Als deze vormen van beweging u niet aanspreken, kan een rustig wandelingetje, met de hond bijvoorbeeld, een goed alternatief zijn. Andere technieken kunnen ook lichaam en geest ontspannen, bijvoorbeeld progressieve spierontspanning, meditatie, biofeedback en de visualisatie- en ademhalingstechnieken die op bladzijde 123 beschreven staan.

Biofeedback

Deze ontspanningstechniek wordt wel in slaapklinieken onderwezen. Men gebruikt daarbij medische registratie-apparaten om de hartslag, bloeddruk, spierspanning, temperatuur van de huid, zweet en bloedtoevoer in handen en voeten te meten. De monitoren laten zien hoe ons lichamelijke systeem op stress of de afwezigheid daarvan reageert. Van hun signalen kunnen we aflezen wanneer we gespannen zijn en aanleren hoe we zelf die spanning kunnen verminderen.

Meditatie

Meditatie is een vorm van diepe ontspanning waarbij het hele lichaam uitrust terwijl de geest in een toestand van 'ontspannen waakzaamheid' blijft. U hebt er geen speciale aanleg voor nodig. U moet alleen bereid zijn er iedere dag ongeveer een kwartier voor uit te trekken. Er zijn vele manieren om te mediteren. Een simpele oefening gaat als volgt:

♦ U moet zorgen voor een warme, rustige omgeving, en een 'mantra' - een voorwerp of een woord waarop u zich concentreert. Dit kan uw ademhaling zijn, die u telt iedere keer dat u uitademt, of een woord zonder psychologische associaties.

♦ Ga in een comfortabele houding zitten, op een kussen op de vloer of op een stoel met rechte rug, de handen in de schoot of op de knieën.

♦ Doe uw ogen dicht, ontspan u en adem diep en regelmatig door de neus.

♦ Concentreer u op uw ademhaling, tel iedere keer dat u uitademt. Meestal telt men tot tien en begint dan opnieuw, maar beginners vinden het vaak prettiger tot vier te tellen.

♦ Probeer niet uw ademhaling aan te passen of aan iets anders dan het tellen van uw ademhaling te denken.

♦ Als uw gedachten afdwalen (en dat zullen ze) richt u uw aandacht weer rustig op uw ademhaling. Probeer andere gedachten niet te onderdrukken, accepteer ze en laat ze gaan. Aan het eind van de meditatie rekt u zich uit en staat langzaam op.

Het laatste uur vóór het slapengaan

U hebt de zorgen van de dag van u afgeschud, een voedzaam maar niet te zwaar maal genoten, en wat ontspanningsoefeningen gedaan. In het laatste uur voor u daadwerkelijk naar bed gaat, moet u zichzelf op plezierige wijze verwennen om lichaam en geest zo goed mogelijk op het slapen voor te bereiden.

Natuurlijke slaapmiddelen

Als u behoefte heeft aan een natuurlijk slaapmiddel, neem dat dan ongeveer een halfuur voor bedtijd in. Kruiden of homeopathische middelen die u in de reformwinkel, kruidenwinkel of apotheek koopt kunnen helpen bij slaapproblemen. Gebruik alle middelen met beleid, lees de gebruiksaanwijzing zorgvuldig en neem ze alleen in als dat echt nodig is. U leest meer over deze middelen in deel vier.

De ontspannende werking van muziek

Muziek is in staat onze stemming te veranderen, onze zintuigen te ontspannen en de spieren te kalmeren. U mag natuurlijk zelf weten wat voor muziek u kiest, maar zachte, melodieuze stukken zijn rustgevender dan rockmuziek. Een alternatief is, om naar geluiden uit de natuur te luisteren, zoals dolfijnen- en walvismuziek, rollende golven of vogelgefluit.

Hapjes en slaapmutsjes

Sommige mensen vinden het prettig voor het slapengaan wat te eten. De gouden regel daarbij is, om het boven alles licht verteerbaar te houden en vooral die dingen te eten die slaapverwekkend zijn (zie hoofdstuk 8). Wat u drinkt moet ook kalmerend zijn. De traditionele warme melk voor het slapen gaan dankt zijn succes aan het feit dat er tryptofaan in zit. Dit aminozuur is een bestanddeel van serotonine, waar het slaaphormoon melatonine vandaan komt.

Een warm bad

Een bad ontspant veel meer dan een douche, en het warme water verhoogt de lichaamstemperatuur zodat u slaperig wordt. Houd het water net iets warmer dan uw eigen lichaamstemperatuur, maar maak het niet té warm, want dan kan het zijn dat u zich zwak en zweterig voelt. Bovendien verwijdt het de aderen, hetgeen druk op het hart veroorzaakt. Blijf niet langer dan 15 minuten in het bad liggen, anders loopt u de kans dat u het te warm krijgt. Maak er iets speciaals van. Voeg wat van uw favoriete badschuim of een paar druppels aromatische olie aan het badwater toe. Kies een olie met een kalmerende en ontspannende werking (zie deel vier). Doe de deur dicht, dan houdt u de geur binnen en de rest van de wereld buiten.

Lezen en televisie kijken

Lezen en televisie kijken op de late avond zijn niet bepaald ideale bezigheden voor mensen met slaapproblemen, maar voor velen hoort het tot het ritueel voor het naar bed gaan. De activiteiten zijn op zichzelf niet gunstig of ongunstig voor een goede nachtrust, het hangt er helemaal van af wát u leest of ziet. Houd u daarbij aan de volgende regels:

Lezen

♦ Lees nooit iets wat met uw werk te maken heeft, vooral niet in bed.

♦ Lees geen opwindende boeken die u moeilijk terzijde kunt leggen.

♦ Doe het boek niet net op een spannend moment dicht.

♦ Val niet in slaap als u een hoofdstuk of het hele boek uit wilt hebben.

♦ Vermijd griezelverhalen of thrillers die u uit de slaap houden of een nachtmerrie kunnen bezorgen.

Televisie

♦ Houd de televisie buiten de slaapkamer.

♦ Vermijd prikkelende of angstaanjagende programma's: ze houden u wakker of u krijgt er nachtmerries van.

♦ Ga niet naar een programma kijken dat pas ver na uw gebruikelijke bedtijd eindigt.

♦ Val niet voor de televisie in slaap.

Naar bed

Ga naar bed op het moment dat u slaperig wordt, want dan benut u de natuurlijke ultradiaanse cyclus (zie hoofdstuk 2), niet eerder, niet later. Als u naar bed gaat zodra u zich moe voelt, valt u waarschijnlijk heel gemakkelijk in slaap, maar als u het uitstelt, gaat de slaperigheid over en wordt u weer klaarwakker. Als u eenmaal in bed ligt, kunt u uzelf onder hypnose brengen of een andere techniek die de slaap opwekt toepassen. Zelfhypnose wordt beschreven op bladzijde 140.

Seks is zeer slaapbevorderend als u tenminste een gewillige partner hebt. Mensen gedijen op aanrakingen en seks kan zoveel intimiteit en warmte geven dat problemen erdoor op de achtergrond raken. Bewezen lijkt te zijn dat seks een heilzaam effect heeft op ons vermogen tot slapen - en daarom hebben we meteen daarna de neiging ons op te rollen en in slaap te vallen. Een massage in bed kan ook helpen, niet alleen om ons in de stemming voor een vrijpartij te brengen, maar ook omdat een massage het zenuwgestel tot kalmte brengt. U kunt een shiatsu-massage proberen waarbij de slaapbevorderende punten worden aangeraakt (zie de pagina hiernaast).

Als u niet slapen kunt

Als u merkt dat u niet kunt inslapen, sta dan op en doe iets niet-opwindends tot u weer slaperig wordt. Klaarwakker in bed blijven liggen maakt de spanning alleen maar erger en dat leidt tot nog grotere slapeloosheid. Als u zich slaperig voelt worden, gaat u weer naar bed en probeert het opnieuw. Als alternatief kunt u ook eens een aantal van de oefeningen die op bladzijde 123 staan, zoals visualisatie of de Ayurveda-techniek, proberen.

Slaapbeperkende therapie

Deze therapie heeft al veel mensen geholpen weer te leren dat een bed er is om in te slapen en niet om over slapen te liggen piekeren. Er wordt uitgegaan van het principe dat de totale tijdsduur die men in bed doorbrengt, gelijk of bijna gelijk moet zijn aan de tijd dat men ook werkelijk slaapt. Dus: ga niet naar bed voor u zich ook werkelijk slaperig voelt. Als u naar bed gaat en niet binnen 20 minuten in slaap valt, staat u op en gaat iets anders doen tot u zich weer slaperig voelt worden.

Ga niet boos naar bed

Boosheid is een destructieve emotie die, afgezien van de vele andere schadelijke invloeden, u kan verhinderen in slaap te vallen. Maak geen ruzie vlak voor het naar bed gaan, want dan bent u te geagiteerd om te slapen. Als u een probleem hebt, een zorg of een klacht, zoek ze dan voor het naar bed gaan uit of schrijf ze op en besluit er de volgende dag wat aan te doen. Neem uw problemen niet mee naar bed, ze zijn géén goede bedmakkertjes.

Shiatsu-massage

Deze Japanse massagetechniek geeft bepaalde punten aan die geschikt zijn voor een slaapbevorderende massage. Zachte, maar stevige druk met de duim op deze gebieden (*tsubo's* geheten) kan een aantal mensen daadwerkelijk helpen.

Tsubo GV20

Tsubo B25

Tsubo GV 20

Gebruik beide duimen en druk 10 tot 15 seconden stevig neerwaarts op het midden van het hoofd in het verlengde van de lijn die een rechte hoek vormt met de rand om de bovenkant van de oren.

Tai yo

Druk 7 tot 10 seconden ongeveer een vingerbreedte naast iedere wenkbrauw, tussen de buitenkant van het oog en het einde van de wenkbrauw.

Tsubo B25

Druk drie keer 5 tot 7 seconden op de punten die zich ongeveer 4 cm aan weerszijden van het punt tussen de vierde en vijfde lendenwervel bevinden.

Tsubo K1

Gebruik beide duimen en druk 10 tot 15 seconden hard binnenwaarts op een punt op de voetzool die ongeveer op een derde van de lijn uiteinde middenteen-hiel zit, tussen het tweede en het derde teengewricht.

Tsubo K1

Ga dan weer naar bed en probeer het opnieuw. Mensen die het gevoel hebben dat ze uren in bed wakker liggen kunnen hier baat bij hebben omdat de tijd die in bed wordt doorgebracht de eerste paar nachten maar een paar uur bedraagt. Dit maakt dat u zo moe bent dat u heel snel in slaap valt als u eenmaal in bed ligt. Bovendien geeft het u een nieuw beeld van uzelf, namelijk van iemand die meteen slaapt zodra hij in bed stapt. Naarmate uw nachtrust verbetert kunt u de tijd die u in bed doorbrengt verlengen, zodat u uiteindelijk iedere keer volledig uitgerust opstaat. Onthoud goed dat een volledige nachtrust niet per se 8 uur slaap hoeft te betekenen. Als u merkt dat u aan 6 uur slaap genoeg heeft, blijft u slechts 6 uur in bed.

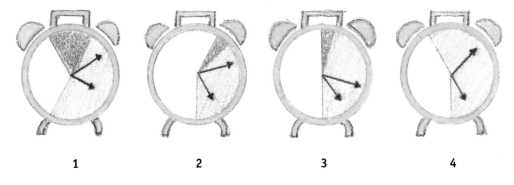

1   **2**   **3**   **4**

▨ In bed, maar wakker

☐ In slaap

Hoe deze slaapbeperkende therapie te gebruiken

1 Vóór de therapie Iemand die aan slapeloosheid lijdt brengt lange tijd in bed door voor hij uiteindelijk in slaap valt.

2 Eerste nacht van de therapie Ga niet naar bed vóór u slaperig wordt. Dit kan verscheidene uren later zijn dan uw normale bedtijd. Als u niet binnen 20 minuten in slaap valt, staat u weer op en wacht met de volgende poging tot u nog slaperiger bent geworden. Zet uw wekker op een vroeg uur, bijvoorbeeld om 6.30 uur, ook al krijgt u dan maar een paar uur slaap.

3 De tweede nacht Herhaal de procedure van de eerste nacht, maar ga iets eerder naar bed. Sta de volgende ochtend op dezelfde tijd op.

4 Derde en daaropvolgende nachten Houd vast aan het principe niet naar bed te gaan vóór u slaperig bent geworden en sta consequent vroeg op. Langzamerhand gaat u dan op een geregelde tijd naar bed en slaapt u snel in.

Vraag zo nodig om hulp

Er zijn maar weinig slaapproblemen die niet met zelfhulp-technieken, zorgvuldige planning en gezond verstand opge-lost kunnen worden. Als u alle raadgevingen in dit boek hebt opgevolgd en er toch niet uit komt, wordt het tijd professio-nele hulp in te roepen. Neem contact op met uw huisarts en vraag een verwijzing voor een slaapkliniek, psychotherapie of een andere geschikte therapie. De meeste huisartsen zijn zich ervan bewust dat slapen van vitaal belang is voor onze gezondheid en productiviteit.

Visualisatie

Als uw gedachten steeds rusteloos blijven als u in bed ligt, probeert u zich dan eens een heerlijk ontspannen scenario voor ogen te houden. Kies een achtergrond die niet alleen mooi is, maar ook vrij van ieder spannings-element. Als u bijvoorbeeld veel van de zon en de zee houdt, stelt u zichzelf voor dat u op een warm, vredig, exotisch strand ligt. Gebruik al uw zintuigen om de zon op uw gezicht te voelen, ruik de zee en de zonnebrand-crème, proef het zout op uw lippen en hoor de golven zachtjes op de kust klotsen. Adem langzaam en diep op het ritme van de golfjes en sta uzelf toe langzaam in slaap te glijden alsof u op de top van warme golven zweeft.

Ayurveda-ademhalingsoefeningen tegen slapeloosheid

Probeer de volgende oefening als alternatief voor visualisatie. Ga in bed liggen met het licht uit en laat uzelf tijdens de oefening in slaap vallen.

♦ Concentreer u een paar seconden op uw eigen diepe, regelmatige ademhaling.

♦ Zeg dank voor alle vreugden, ervaringen, ja zelfs beproevingen van die dag.

♦ Blijf u bewust van uw ademhaling, en ga in uw prettigste houding liggen.

♦ Als u zich rusteloos voelt, bedenk dan dat dit teveel aan *vata*-energie van voorbij-gaande aard is.

♦ Blijf langzaam en diep ademhalen. Probeer u voor te stellen wat uw lichaam voelt als het in diepe slaap is en sta uzelf toe in zo'n toestand weg te glijden.

♦ Als u 's nachts wakker wordt, raak dan niet geagiteerd, maar herhaal simpelweg de oefening.

Een slaapdagboek

Een slaapdagboek bijhouden kan een grote steun zijn bij een nieuw slaap-
regime. Het kost nu eenmaal tijd om veranderingen in uw leefpatroon aan
te brengen en aan een nieuw ritme te wennen, en het kan zijn dat u de eerste paar weken nog geen resultaat boekt. Houd dus een dagboek bij waarin u uw vorderingen in de eerste vijf weken kunt noteren. Wees strikt eerlijk en houd vast aan uw programma. Aan het einde van de vijfde week
kunt u de situatie overzien en kijken hoeveel vooruitgang u hebt geboekt.

Datum......................................

Bedtijd	...in de ochtend/in de avond
Tijd van wakker worden	...in de ochtend/in de avond
Hebt u alcohol of cafeïne gedronken of gerookt tijdens de laatste vier uur voor het naar bed gaan?	ja/nee geef soort en hoeveelheid aan ....
Hebt u slaappillen ingenomen?	ja/nee geef soort en hoeveelheid aan ....
Hebt u een natuurgeneesmiddel gebruikt?	ja/nee geef soort en hoeveelheid aan ....
Hebt u enig ander medicijn ingenomen de laatste vier uur voor bedtijd?	ja/nee geef soort en hoeveelheid aan ....
Hebt u overdag genoeg lichaamsbeweging gehad?	ja/nee wanneer en voor hoe lang ....
Hebt u een ontspanningstechniek of massage toegepast?	ja/nee welke techniek en wanneer ....
Hebt u overdag een dutje gedaan?	ja/nee aantal .... hoe lang ....

Houd de activiteiten van iedere dag bij en alle andere gegevens die voor de hoeveelheid en kwaliteit van uw slaap van belang kunnen zijn. U kunt deze pagina daartoe kopiëren.

Hoe snel viel u 's avonds in slaap?	na minder dan 15 minuten
	15-30 minuten
	30-45 minuten
	45-60 minuten
	meer dan 60 minuten
Hoe vaak werd u 's nachts wakker?	helemaal niet
	1 keer
	2-3 keer
	4-5 keer
	6 of meer keer ......
Hoeveel uren slaap hebt u in totaal gehad?	minder dan 4 uur
	4-5 uur
	5-6 uur
	6-7 uur
	meer dan 7 uur
Was uw nachtrust werkelijk goed?	zeer goed/goed/gemiddeld/slecht/zeer slecht
Hoe voelde u zich bij het ontwaken?	zeer goed/goed/gemiddeld/slecht/zeer slecht
Hoeveel adviezen van deel drie uit dit boek hebt u opgevolgd?	de meeste/een aantal/een of twee/geen een
Vindt u dat uw slaap verbeterd is?	ja/nee
Zo ja, welk aspect is dan het meest verbeterd?	Geef een beschrijving ....
En welk aspect het minste?	Geef een beschrijving ....
Denkt u dat u professionele hulp nodig hebt?	ja/nee

Hoofdstuk 11

Slaappillen, ja of nee?

Als men in aanmerking neemt hoeveel volwassenen met slaapproblemen te kampen hebben is het geen wonder dat slaappillen 'big business' geworden zijn. Maar de ironie van het geheel is dat, hoe meer slaappillen er op de markt verschenen zijn, des te meer mensen klagen dat zij niet kunnen slapen. Hier kunnen vele verklaringen voor zijn: misschien zijn we eerder geneigd medische hulp in te roepen dan onze ouders en grootouders, maar het kan ook zijn dat slapeloosheid bij veel mensen een direct gevolg is van de stress waarmee zij te kampen hebben. Er bestaat in ieder geval geen duidelijke verklaring voor de toename, noch voor het feit dat meer vrouwen dan mannen hun toevlucht tot slaappillen nemen.

Het effect van slaappillen

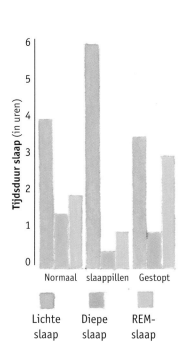

De invloed van slaappillen
Slapen met gebruik van slaappillen verloopt anders dan een normale slaap. Er is minder REM-slaap én minder diepe slaap. Wanneer met het gebruik van slaappillen gestopt is, volgt een periode met toegenomen REM-slaap, en zeer levendige dromen.

De meeste mensen vallen na een slaappil te hebben genomen binnen een uur in slaap. Die slaap is echter niet gelijk aan normale slaap. De meeste slaappillen zijn slaapverwekkend doordat zij een remmende werking op de hersenfuncties hebben. Deze inmenging in de normale hersenactiviteit maakt dat de kwaliteit van de slaap verschilt van die van een normale nachtrust. De meesten van ons brengen ongeveer een kwart van de totale slaaptijd in REM-slaap door. Als men pas sinds kort slaappillen inneemt, kan de REM-slaap slechts een tiende van de totale slaaptijd bedragen. Als de pillen echter gedurende enige weken gebruikt zijn, keert langzamerhand de normale proportie REM-slaap terug. De tijdsduur van de diepe slaap wordt ook sterk beïnvloed door het gebruik van slaappillen. Het komt geregeld voor dat iemand die slaappillen gebruikt, maar 5 procent van de totale slaaptijd in diepe slaap doorbrengt.

Plotseling stoppen met het gebruik van slaappillen heeft

ook zijn problemen. De meeste mensen ervaren daarbij dat de REM-slaap weer toeneemt. Toegenomen spanning is ook een veelvoorkomend gevolg van plotseling stoppen, hetgeen inslapen én doorslapen bemoeilijkt. Deze onplezierige ontwenningsverschijnselen weerhouden velen ervan met slaapmiddelen te stoppen, ook als ze al lang geen effect meer hebben.

Gebruik en beperkingen van slaappillen

Slaappillen kunnen een snelle oplossing betekenen, als er geen andere remedie voorhanden is en het gebrek aan slaap uw functioneren van de volgende dag in gevaar brengt. Ze kunnen heel nuttig zijn voor mensen die zich zenuwachtig maken over een bepaalde gebeurtenis en ook de broodnodige, zij het tijdelijke, verlichting brengen als mensen emotioneel uitgeput zijn door bijvoorbeeld het verlies van een dierbare. Hoewel slaappillen de pijn van het verlies dan even kunnen onderbreken, kunnen zij het rouwproces toch niet bespoedigen, aangezien dat nu eenmaal veel tijd vergt. Soms kan daarbij ook speciale hulp nodig zijn.

Hoewel zij dus als tijdelijke maatregel nuttig kunnen zijn, bieden slaappillen geen oplossing op de lange termijn. Slapeloosheid door emotionele spanningen als huwelijksproblemen, echtscheiding of een financiële crisis wordt door het nemen van een pil niet opgelost, het helpt het probleem alleen maar even vergeten.

Het farmacologisch effect van slaappillen is na twee weken verdwenen, aangezien het lichaam er dan aan gewend is geraakt. Maar slaappillen kunnen verslavend zijn en daarom blijven veel mensen ze innemen als ze al lang niet meer helpen. Na verloop van tijd merken veel regelmatige gebruikers dat ze nog steeds gespannen en angstig zijn en er ook nog een verslavingsprobleem bij hebben gekregen. Het probleem wordt nog ernstiger als mensen, wanneer ze merken dat de gewone dosis niet meer helpt, nóg meer pillen gaan innemen om te kunnen slapen.

Vanwaar de behoefte aan slaappillen?

Het bed kan een eenzame plek zijn als je het gevoel hebt dat de hele wereld behalve jij in slaap is. De gevoelens van verlatenheid, hulpeloosheid en ten slotte regelrechte boosheid als het enige wat je wilt slapen is en dat dan niet lukt, zijn op

De gewoonte doorbreken

Als u de vicieuze cirkel van het slaappillengebruik wilt doorbreken, moet u allereerst in uzelf geloven. Voor sommigen is
het misschien gemakkelijk, en gaat het met weinig ontwenningsverschijnselen gepaard. Voor anderen kunnen de
symptomen langdurig en lastig zijn; dat hangt af van de do-
sering en de tijdsduur van inname. Maar, wees gerust, de
symptomen zullen hoe dan ook verdwijnen.

Maak een goede planning

Zorg ervoor dat uw partner,
vrienden of familie weten wat
u van plan bent zodat zij u
geestelijk kunnen ondersteunen. Verzeker u van de hulp
van uw huisarts, en eventueel
nog van andere mensen als
een (alternatieve) therapeut.
Uw huisarts kan u helpen een
programma van geleidelijke
ontwenning op te stellen en
het proces verder begeleiden.

Het kiezen van het juiste tijdstip

Als u binnenkort een bijzonder spannende gebeurtenis te wachten
staat, zoals een verhuizing, een huwelijk, echtscheiding of verandering van baan, kunt u beter even wachten met stoppen. Aan de andere kant: blijf niet uitstellen tot er weer zo'n gebeurtenis in het
verschiet komt. U bent heus in staat te stoppen en toch de normale
spanningen van alledag te hanteren!

Basisregels

Als u minder dan twee weken slaappillen hebt ingenomen, kunt u stoppen
op het moment dat u ze niet meer nodig hebt. Maar als u ze langer hebt gebruikt, is het raadzaam samen met uw huisarts een schema op te stellen
waar u zich bij het ontwennen aan houdt. Leg u neer bij het feit dat dit wat
tijd zal kosten in de wetenschap dat dit uw lichaam de kans geeft geleidelijk weer normaal te gaan functioneren. Houd in gedachten dat ups en
downs erbij horen en laat u niet ontmoedigen door eventuele nieuwe ontwenningsverschijnselen. Ook moet u er op voorbereid zijn dat u misschien
de al langer bestaande emotionele problemen die tot het gebruik geleid
hebben, onder ogen moet zien.

Het programma

U kunt uw dagelijkse dosis in fasen afbouwen, bijvoorbeeld van twee tot vier weken, afhankelijk
van de vooruitgang die u boekt. Het kan verscheidene maanden duren voor u volkomen van uw
verslaving af bent. Gebruik deze tijd om ook andere aspecten van uw gezondheidstoestand onder de loep te nemen, u hebt dan de meeste kans op volledig herstel.

♦ Zorg dat u minder cafeïne en nicotine binnenkrijgt, maar doe ook dit geleidelijk. Als u op dit
moment al uw energie nodig hebt om van de slaappillen af te komen, probeer dan op een ander
tijdstip met roken te stoppen.

♦ Volg de adviezen die in de vorige hoofdstukken gegeven zijn op. Ga op regelmatige tijden
naar bed, zorg voor voldoende lichaamsbeweging, of begin eens met een nieuwe sport of
hobby.

♦ Besteed speciale zorg aan uw voedingspatroon aangezien u tijdens dit ontwenningsproces
een gezonde voeding hard nodig hebt. Maak ten minste één maal per week met zorg een speciale maaltijd voor uzelf klaar en probeer er uitgebreid van te genieten.

♦ Verwen uzelf. Laat u masseren, al dan niet met aromatherapie; u zult u heerlijk verwend voelen en de therapeut kan gebruik maken van oliën die de ontwenningssymptomen verlichten.

zichzelf al genoeg om onophoudelijk te blijven draaien en keren in bed.

Er kunnen veel redenen zijn om je toevlucht tot slaappillen te nemen. Een pil nemen is een stuk simpeler dan eens goed naar de problemen kijken die je slapeloosheid veroorzaken. Verscheidene nachten achter elkaar wakker liggen kan een mens zo wanhopig maken, dat hij of zij maar al te graag een pil neemt om alles even te kunnen vergeten en niet weer zo'n slapeloze nacht te moeten ondergaan. Sommige mensen beweren dat zij het gewoon te druk hebben om hun leefpatroon serieus te herzien, weer wat conditie op te bouwen en de stressfactoren in hun leven te verminderen. Andere slikken slaappillen in de veronderstelling dat het maar voor een paar dagen of weken zal zijn. Dat is ook vaak het geval en pillen zijn dan een welkome - zij het kortstondige - manier om de week door te komen. Helaas is er al snel sprake van afhankelijkheid en wat als een noodoplossing begon, kan uitgroeien tot een zeer ongezonde gewoonte.

Natuurlijke alternatieven

Er zijn vele nuttige, niet-verslavende middelen tegen slapeloosheid die als tijdelijke maatregel kunnen fungeren als u geen pillen wilt nemen. In deel vier vindt u hiervan een uitgebreide beschrijving. De volgende middelen zijn natuurlijke samenstellingen die bewezen hebben zeer nuttige alternatieven voor slaappillen te zijn.

♦ **Tryptofaan** Dit aminozuur, dat van belang is voor het herstel en de aanmaak van proteïne, wordt in de hersenen omgezet in serotonine, een natuurlijke, slaapverwekkende chemische stof. Een supplement van 1000-1500 mg voor bedtijd kan soms zeer goed werken. In Groot-Brittannië zijn tryptofaantabletten slechts op recept verkrijgbaar, maar het aminozuur is ook in natuurlijke staat aanwezig in melk en koolhydraten en er is geen gevaar verbonden aan het eten van voedsel waarin tryptofaan rijkelijk aanwezig is.

♦ **Melatonine** Dit is het slaaphormoon, en wordt tegenwoordig als voedselsuppletie vervaardigd. Een aantal studies heeft aangetoond dat het gunstig werkt op de kwaliteit van de slaap en bij het bestrijden van een jetlag. Maar omdat de werking ervan nog niet volledig bekend is, wordt de volgende personen gebruik vooralsnog ontraden: zwangere en zogende vrouwen, personen jonger dan 35 jaar, mensen met bloedkanker of met een ziekte van het immuunsysteem en nierpatiënten. Synthetische melatonine zou wel eens veiliger kunnen zijn dan melatonine van dierlijke oorsprong. Het dient vlak voor het naar bed gaan ingenomen te worden, aangezien het binnen een uur zijn hoogste concentratie in het bloed bereikt.

♦ **De kava kava wortel** Dit kruid is verkrijgbaar als voedselsuppletie. Het heeft een dempende werking op het centraal zenuwstelsel en ontspant de spieren van het skelet, wat het tot een effectief geestelijk en lichamelijk ontspanningsmiddel maakt en eveneens effectieve hulp bij de behandeling van lichte gevallen van slapeloosheid is. Aanbevolen dosis: 100-200 mg, in te nemen ongeveer een uur voor het slapengaan.

Groep	Soortnaam (algemene naam)	Werking	Bijwerkingen
Benzodiazepinen De meest gebruikte kalmeringsmiddelen	**chloordiazepoxide** *(Librium)* **diazepam** *(Valium)* **Nitrazepam** *(Mogadon)* **Temazepam** *(Normison, Restoril)*	Benzodiazepinen remmen de hersenfuncties. Zij verbreken de communicatie tussen de zenuwcellen en hebben zo invloed op de chemische werking van hersenen en zenuwstelsel. Als de hersenactiviteit verlaagd wordt, is inslapen gemakkelijker.	Veel mensen voelen zich katterig bij het wakker worden en niet zo goed uitgerust als normaliter het geval is. Dit effect wordt nog versterkt bij alcoholgebruik. Op de lange termijn is er een groot afhankelijkheidsrisico.
Benzodiazepine-achtige middelen De nieuwste groep slaapmiddelen	**zoplicone** *(Zimovane)* **zolpidem** *(Ambien, Stilnoct)*	Deze groep heeft dezelfde werking op de zenuwcellen als benzodiazepinen, maar schijnt het normale slaappatroon niet zo te doorbreken. Het middel werkt binnen 20-30 minuten en de werking duurt 6 tot 8 uur. Tot dusverre worden weinig 'katereffecten' gemeld.	De mate van gewenning van deze groep middelen is nog onbekend en ook wat voor ontwenningsverschijnselen ze eventueel zullen geven. Duizeligheid en een slechte coördinatie kunnen tijdelijk problemen geven. Incidenteel zijn hallucinaties, vergeetachtigheid en gedragsstoornissen zoals agressie gemeld, maar meestal als al van een verleden met benzodiazepinengebruik sprake was.
Antihistaminen Vooral gebruikt bij de voorkoming en behandeling van allergieën	**promethazine** *(Phenergan)* **trimeprazine** *(Vallergan)*	Soms bij slaapproblemen, meest bij kinderen, gebruikt. Ze werken ook goed bij slapeloosheid als gevolg van allergische aandoeningen, maar moeten vroeg in de avond ingenomen worden, want het duurt lang voor ze werken. Het slaapverwekkend effect zit hem in het feit dat ze de werking van de hersenfuncties vertragen.	Duizeligheid en slechte coördinatie, wat tot onhandigheid leidt. Bijverschijnselen: misselijkheid, droge mond, onscherp zien, moeilijkheden bij het urineren en verlies van eetlust.
Chloraalhydraten Een van de oudste slaapmiddelen die nog in gebruik zijn	**chloraalhydraat** *(Noctec, Welldorm)*	Chloraalhydraat remt de hersenfuncties. Is in het algemeen minder doeltreffend dan de benzodiazepinen.	Dit middel kan snel minder effectief worden, wat tot het innemen van grotere doses kan leiden.
Barbituraten Op grote schaal gebruikt tot de jaren zestig. Nu niet langer voorgeschreven aangezien er grote kans is op overdoses en verslaving.	**amylobarbitone** **butobarbitone** **quinalbarbitone**	De werking berust op het feit dat de chemische prikkels tussen zenuwcellen en de hersenen geblokkeerd worden waardoor het centraal zenuwstelsel wordt geremd en de cellen minder goed kunnen reageren.	Bijwerkingen: wankelend lopen, buitensporige slaperigheid, snel opgewonden raken. Ongunstig voor de ademhaling. De bijwerkingen worden zeer verergerd als ook nog alcohol wordt gebruikt. In de meeste landen wordt het gebruik onder strenge controle gehouden.

DEEL VIER

Genezings-
methoden

Mooi, diep en donker zijn de wouden,
Maar ik heb mijn beloften te houden,
en moet nog mijlen ver voor het slapengaan,
en moet nog mijlen ver voor het slapengaan.

Robert Frost
1874-1963

Het kiezen van een natuurlijke methode

Er bestaan veel natuurlijke geneeswijzen voor slapeloosheid. Aromatherapie, kruidengeneesmiddelen, homeopathie, yoga, en ontspanningstechnieken hebben allemaal hun diensten op dit vlak bewezen. Voordeel is, dat ze, anders dan slaappillen, geen bijwerkingen hebben. Als u een natuurlijke geneeswijze aanwendt en tegelijkertijd overgaat op een gezonder leefpatroon, is er alle kans dat uw nachtrust verbeterd wordt zonder dat u verdere hulp hoeft te zoeken. Als echter binnen enkele weken geen verbetering optreedt, is het zaak specialistische hulp te zoeken, hetzij bij een reguliere arts, hetzij bij een geregistreerd natuurgeneeskundige die u een aanvullende behandeling kan bieden.

Hoe natuurlijke geneeswijzen uitkomst kunnen bieden

Een aanvullende natuurlijke behandeling voor slapeloosheid is er niet alleen op gericht u beter te laten slapen, maar zal trachten geest, lichaam en emoties in balans brengen, zodat u overdag beter functioneert en u zowel uw slapend als uw wakend leven beter onder controle hebt. Het oplossen van de slaapstoring is daarbij eerder een gevolg van dit evenwichtsherstel dan van het innemen van een specifiek slaapmiddel.

Natuurlijke geneesmiddelen laten geen wonderbaarlijke genezingen zien. Sommige mensen zien meteen resultaat, andere gaan pas geleidelijk aan weer beter slapen. Geen therapie ter wereld kan de schadelijke invloeden tenietdoen van een slecht voedingspatroon, te weinig lichaamsbeweging, te veel sigaretten, te veel alcohol en het niet kunnen hanteren van spanningen. Dus is het herzien van uw leefwijze als geheel even belangrijk als het oplossen van uw concrete slaapprobleem.

Professionele hulp

Wees uiterst zorgvuldig bij het kiezen van een alternatief genezer. De meerderheid van de natuurgeneeswijzen is niet officieel erkend, hetgeen betekent dat ieder die dat wil zich zonder de benodigde opleiding als natuurgeneeskundige kan vestigen. De meeste therapieën vallen echter onder zelfstandige verenigingen waarvan de leden zich aan bepaalde regels te houden hebben, officieel toestemming moeten hebben om praktijk uit te oefenen en disciplinaire maatregelen kunnen verwachten bij een verkeerde behandeling. Zie voor hulp bij slaapstoornissen het traject zoals beschreven op bladzijde 156.

Een veilig gebruik van een natuurgeneeswijze

Natuurgeneeswijzen zijn in het algemeen veilig en vaak zeer effectief. Het is echter verstandig bepaalde voorzorgsmaatregelen in acht te nemen. Gebruik de middelen niet langer dan nodig is, lees aandachtig de gebruiksaanwijzing, vooral als het om kinderen gaat en houd alle medicamenten buiten hun bereik.

Hoe te kiezen

Alle geneesmiddelen en oefeningen die in dit deel besproken worden zijn veilig en gemakkelijk in het gebruik. Ook zijn ze doeltreffend, alleen, niet ieder geneesmiddel werkt bij iedereen. U doet er verstandig aan bij het kiezen van een therapie zowel uw kennis als uw intuïtie te gebruiken. Lees eerst aandachtig de beschrijvingen van de diverse therapieën en de geneesmiddelen en probeer die therapie uit die u het meeste aanspreekt. Sommige mensen worden aangetrokken door de sensuele geuren van aromatherapie, andere nemen liever een kruidendrank of vinden het een prettig ritueel om voor het naar bed gaan kruidenthee te zetten. Voor weer andere is misschien een homeopathisch middel de eenvoudigste weg. Dit laatste vereist echter een bepaalde hoeveelheid zelfkennis. En aangezien het vrijwel onmogelijk is jezelf objectief te bekijken, is het beter een homeopaat te consulteren of anders een vriend of vriendin te vragen te helpen kiezen. Zelfhypnose, ten slotte, is ook een techniek die niet bij iedereen zal passen. Sommige mensen zijn gefascineerd door de kracht van de geest, andere worden daar juist bang van. Het biedt geen onmiddellijke oplossing: het vergt oefening en toewijding, wilt u resultaat zien.

Veel van de natuurgeneeswijzen kunnen in combinatie gebruikt worden. U kunt bijvoorbeeld veilig én een bad nemen met aromatische oliën én een kruidengeneesmiddel innemen.

De natuurgeneeswijzen

In dit deel geven wij u een korte inleiding op de diverse therapieën en geneesmiddelen. Hoewel al deze alternatieve therapieën zeer breed kunnen worden toegepast, richten wij ons hier vooral op hun werking bij de genezing van slaapstoornissen.

Yoga

Dit oeroude systeem is geschikt voor mensen van alle leeftijden en ieder niveau van lichamelijke soepelheid. Eenvoudige rek- en ontspanningsoefeningen zijn erop gericht gezondheid en conditie te vergroten, geestelijke en lichamelijke ontspanning te verkrijgen en de kwaliteit van de slaap te bevorderen. Het is belangrijk vaak te oefenen. Als u deze eenvoudige oefeningen iedere avond doet, zult u kalm en ontspannen in slaap vallen.

Basisregels

♦ Overleg altijd eerst met uw huisarts voor u aan welk programma dan ook begint, vooral als u al wat ouder bent, een handicap heeft, medicijnen inneemt, of aan epilepsie of enige andere chronische ziekte lijdt.

♦ Doe geen oefeningen met een volle maag.

♦ Zorg voor een rustige, behaaglijke, goed geventileerde ruimte. Draag gemakkelijke kleren die u voldoende bewegingsruimte laten.

♦ Doe de oefeningen met blote voeten, zorg dat de vloer niet glibberig is.

♦ In het algemeen dient u in te ademen op het moment dat u een bepaalde houding gaat aannemen en uit te ademen terwijl u zich in die houding uitstrekt, tenzij anders vermeld. Adem langzaam en diep, en laat uw uitademen langer duren dan uw inademen.

♦ Zorg ervoor dat uw onderrug in een prettige positie ligt en genoeg steun krijgt in de diverse houdingen waarin u op de vloer ligt.

In het bijzonder geschikt voor
Yoga-ontspanningsoefeningen die uit ademhalingsoefeningen en visualisatietechnieken bestaan, zijn in het bijzonder geschikt voor ouderen en gehandicapten, die zwaardere oefeningen vaak niet meer aankunnen.

Een programma met drie stappen
De yoga-oefeningen die speciaal bedoeld zijn als lichamelijke en geestelijke voorbereiding op het slapengaan, omvatten de drie volgende stappen:
Stap 1: Gebruik gedurende vijf minuten ademhalingstechnieken om de activiteiten van de dag van u af te zetten en te ontspannen.
Stap 2: Doe 10 minuten wat lichte strekoefeningen. Blijf zolang u de oefeningen doet goed naar uw lichaam luisteren. Dat houdt in dat u slechts zo intensief en zo vaak strekt als prettig is en alleen die houdingen aanneemt die u niet te veel moeite kosten.
Stap 3: Doe nog eens 10 minuten ademhalingsoefeningen of yoga nidra ter ontspanning.

Ademhalen en ontspannen

1 Ga op de grond liggen zoals op de tekening is aangegeven. Zorg dat uw onderrug lekker ligt.

2 Ontspan uw gezicht. Doe uw ogen dicht en ontspan uw tong. Adem langzaam en regelmatig door beide neusgaten in en uit.

3 Concentreer u op een langzame buikademhaling. Voel hoe uw borst omhooggaat en uw ribbenkast zich uitzet; dan, hoe uw middenrif naar beneden gaat en uw buik omhoog. Zorg dat het uitademen langer duurt dan het inademen.

4 Pauzeer tussen elke ademhaling en herhaal dit 'ademhalen door de buik' tot uw geest tot rust gekomen is en uw lichaam ontspannen aanvoelt.

Strekoefeningen

Blijf gedurende de oefeningen naar uw lichaam luisteren, en blijf u op het strekken concentreren. Houd iedere strekoefening zo'n vijf tot tien tellen aan, afhankelijk van uw soepelheid. Deze strekoefeningen mogen niet pijnlijk zijn, dus stop zodra u pijn of ongemak voelt, op welk moment dan ook.

Strekoefeningen voor de benen

1 Lig op uw rug met uw benen tegen elkaar en uw armen langs de zij. Adem in en trek tegelijkertijd uw gebogen rechterbeen op in de richting van uw borst; klem uw handen om uw knie.

2 Terwijl u uitademt, drukt u uw knie tegen uw borst. Herhaal dit twee keer.

3 Adem in en duw uw rechterbeen rechtop omhoog met de tenen naar het plafond wijzend. Omvat uw been aan de achterkant van de knie of de dij om het been gestrekt te houden. Strek uw hiel langzaam in de richting van het plafond.

4 Laat het strekken langzaam los door tot vijf te tellen en wijs met uw tenen naar het plafond. Buig het been, laat het zakken en strek het weer uit op de vloer. Ontspan en herhaal deze oefening met het linkerbeen, en dan met beide benen tegelijk.

Massage van de onderrug

1 Ga op uw rug liggen met gebogen knieën en de voeten plat op de vloer. Licht zachtjes uw billen op en breng uw onderrug in contact met de vloer door het 'kuiltje' weg te duwen.

2 Adem in, breng uw knieën naar uw borst en sla uw handen eromheen. Laat uw knieën zachtjes ronddraaien in de richting van de klok; herhaal dit enige keren. Herhaal de draaibewegingen dan in de andere richting. Laat uw voeten weer op de vloer rusten.

Ruggelingse strekoefening

1 Met beide benen gebogen, dicht tegen de borst aan, houdt u dijen, knieën en voeten bij elkaar, adem in en spreid uw armen uit, met de handpalmen plat op de vloer en de vingers gespreid.

2 Adem uit en trek beide knieën zoveel mogelijk richting rechteroksel. Draai uw hoofd naar links. Probeer uw linkerschouder plat op de vloer te houden. Houd de strekoefening gedurende drie of vier ademhalingen vol.

3 Herhaal de strekoefening de andere kant op. Zet dan uw voeten weer op de vloer, benen gebogen.

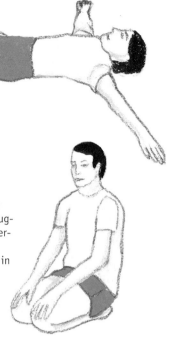

Zithoudingen

Ga op uw hielen zitten, en houd de bovenkant van uw voeten zo plat mogelijk op de vloer. Houd de ruggengraat recht en hoofd en nek rechtop. Om de wervelkolom veilig op te tillen, moet u hem vanuit de buik omhoogtrekken. Adem twee of drie keer diep in en uit.

Het strekken van de zij - met beide armen omhoog

1 Ga zitten als hierboven, plaats beide handen naast de heupen met de vingertoppen op de vloer. Adem in en til beide handen tegelijk op richting plafond, zoals op de tekening.

2 Adem uit en buig naar rechts, druk de handpalmen tegen elkaar. Adem in en ga terug naar het midden. Doe dit ook naar de linkerkant.

Het strekken van de zij - één arm omhoog

1 Leg uw rechterhand op de grond - zie tekening. Spreid uw vingers en druk uw hand plat op de vloer. Adem in en hef uw linkerhand omhoog, vanuit het middel. Adem uit en buig naar rechts. Houd deze stretch gedurende een of twee ademhalingen aan.

2 Adem in en zorg dat u weer rechtop in het midden komt te zitten. Adem uit en laat uw handen op de vloer zakken. Herhaal de oefening nu de andere kant op.

Het strekken van rug en achillespees

1 Ga rechtop zitten met uw benen uitgestrekt voor u, leg uw handen op uw knieën. Adem in en hef beide handen boven uw hoofd.

2 Adem uit, buig voorover en houd uw voeten, enkels, kuiten of knieën vast. Laat uw hoofd richting knieën zakken. Adem in en ga langzaam weer rechtop zitten.

Staande strekoefeningen

Ga staan met uw benen een heupwijdte uit elkaar, de voeten parallel, en de ruggenwervels rechtop en op één lijn met nek en hoofd. Duw als het ware voeten en tenen in de vloer. Adem een paar keer diep in en uit (zie linksonder).

Lichte zwaaien

Ga met de voeten een eindje uit elkaar staan, met licht gebogen knieën. Zwaai zachtjes beide armen naar rechts, en draai ook uw hoofd naar rechts. Dan zwaait u naar links, terwijl uw hoofd naar links draait. Herhaal dit enige keren in één vloeiende beweging. Ontspan door uw knieën weer tegen elkaar te houden en de armen naast de zij te laten rusten.

Strek het hele lichaam

Terwijl u diep inademt, heft u uw armen boven uw hoofd met de handen in elkaar gevouwen, en gaat u op uw tenen staan. Strek uw hele lichaam uit. Adem uit, doe uw armen weer langs uw zij, en laat uw hielen weer op de grond zakken. Herhaal deze oefening.

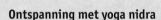

Ontspanning met yoga nidra

1 Ga liggen zoals voor de oefening 'Ademhalen en ontspannen' op bladzijde 137. Adem gedurende enkele seconden diep en regelmatig door beide neusgaten. Voel hoe uw adem door uw buik gaat als u inademt en laat alle restspanning uit uw lichaam gaan terwijl u uitademt.

2 Stel u een ontspannen tafereel voor. Richt uw aandacht op uw voeten. Span en ontspan uw tenen, trek uw voeten stevig samen en voel, als u ze weer ontspant, hoe alle spanning uit uw voeten, enkels, kuiten, knieën, dijen, billen en buik wegtrekt, en adem uit.

3 Richt u nu op uw handen. Span de spieren in armen en handen door een strakke vuist te maken, laat dan de spanning varen en vanuit de vingertoppen tot aan armen en schouders vloeit de spanning weg. Adem uit.

4 Richt uw aandacht op uw schouders. Span de schouderbladen aan en laat de spanning los. Doe dit drie keer.

5 Draai uw hoofd van rechts naar links om alle spanning in de spieren van de nek vrij te maken en laat uw nek ontspannen. Trek ten slotte de spieren in uw gezicht aan. Bij het weer loslaten voelt u hoe alle spanning uit dat gebied wegtrekt, rondom de kaak en de mond, de ogen en weg van het voorhoofd.

Zelfhypnose

Het woord 'hypnose' staat voor een trance-achtige toestand tussen waken en slapen in. Als u tegelijkertijd aan uw 'slaaphygiëne' werkt, kan zelfhypnose zeer waardevol zijn en uw nachtrust daadwerkelijk verbeteren. U kunt zelfhypnose het best van een therapeut leren. U kunt het echter ook uzelf aanleren. Hypnose is een veilig middel, aangezien u nooit onder hypnose kunt geraken tenzij u dat zelf wilt. Niemand kan ervoor zorgen dat u onder hypnose iets doet wat u normaal gesproken niet zou doen - uw onderbewuste zou iets wat het als onethisch beschouwt, altijd verwerpen.

Er zijn vele manieren om hypnose teweeg te brengen. De hier beschreven techniek is vrij algemeen. U moet ervoor zorgen dat niets het proces kan verstoren. Het kan enige tijd duren voor u in een hypnose geraakt; in het begin kan dat wel 20 minuten of langer duren. Gaandeweg zal dat echter sneller gaan. Wees niet verbaasd als u zich niet in trance voelt; hypnose voelt vaak eenvoudigweg aan als een toestand van diepe ontspanning.

Voorzorgsmaatregelen

Mensen die geestelijk instabiel zijn of een psychiatrisch verleden hebben, wordt aangeraden professionele hulp te zoeken vóór zij op zelfhypnose overgaan. Als u een hypnotherapeut bezoekt, vergewis u er dan van of hij of zij wel gekwalificeerd en officieel geregistreerd is.

Maak uw eigen slaapbandje

Het is onmogelijk onder hypnose te raken terwijl u de instructies aan het lezen bent. Dus is het handig de handleiding op een langzame, ontspannen manier op een bandje in te spreken en dat af te draaien als u naar bed gaat. U kunt er wat zachte sfeermuziek als achtergrond aan toevoegen als u dat plezierig vindt. Er bestaan ook kant-en-klare tapes voor zelfhypnose in combinatie met een geleide visualisatie-oefening.

Vooral geschikt voor

Zelfhypnose werkt het best bij mensen die bereid zijn hun gewoontes te herzien en zeer geregeld te oefenen.

Hoe past u zelfhypnose toe

1 Ga liggen met de benen een beetje uit elkaar, de handen mogen elkaar niet raken. Haal diep adem, blaas langzaam uit. Voel of er spanning in uw tenen zit, span ze strak aan en laat ze los, voel hoe ze zich strekken en weer ontspannen. Werk omhoog langs de spieren van uw voeten, kuiten, en dijen, terwijl u ze alsmaar aanspant en weer loslaat, zodat ze zwaar aan gaan voelen. Let op uw ademhaling, zorg dat hij langzaam en regelmatig blijft en houd uzelf voor dat u zich bij iedere keer dat u uitademt, nog meer ontspannen zult voelen.

2 Nu spant en ontspant u de spieren in uw onderrug en buik, uw borst, schouders en via de bovenarmen, onderarmen, handen en vingers. Laat de spanning uw lichaam via de vingertoppen verlaten.

3 Span en ontspan uw nekspieren. Stel u voor dat de spanning in uw gezicht door zachte vingertoppen wordt weggemasseerd en laat haar via uw schedel wegvloeien.

4 Blijf langzaam en diep ademhalen. Tijdens het uitademen voelt u hoe de laatste stukjes spanning zachtjes uit uw lichaam verdwijnen. Zeg tegen uzelf dat u aan niets anders hoeft te denken dan aan uw eigen ontspanning. Denk alleen aan uw adem, die in en uit uw lichaam blijft gaan.

5 Zonder het hoofd op te tillen, richt u uw ogen op een punt aan het plafond. Rol uw ogen achterover alsof u naar uw wenkbrauwen wilt kijken. Houd uw blik op het punt aan het plafond gericht en adem vier keer diep in. Adem in en houd deze tien tellen vast, en als u uitademt, zegt u tegen uzelf 'ga nu slapen'. Doe dit vier keer en houd telkens uw adem wat langer vast.

6 Laat een zwevend gevoel in uw lichaam toe en stel u voor dat er tien traptreden vóór u liggen. Kijk langs de treden omlaag en zie een prachtige tuin voor u. Probeer de tuin te zien, te ruiken en te voelen. Ga de traptreden af en tel van achteren naar voren, van tien tot een, bij iedere trede. Ondertussen zegt u tegen uzelf dat u zich steeds meer ontspannen voelt en dat u, wanneer u bij de laatste trede aangeland zult zijn, volkomen spanningsvrij zult zijn.

7 Zoek dan een plekje in uw tuin waar u het liefst in slaap zou vallen. Vertel uzelf: 'Ik ga nu heel diep in slaap vallen en heerlijk uitrusten'. Roep een positief beeld op van uzelf in een vredige slaap. Blijf rustig en ontspannen liggen en blijf gestadig ademhalen.

8 Tijdens of vlak na de oefening kunt u in slaap vallen. Zo niet, zeg dan tegen uzelf: 'Op de eerste tel zal ik weer bij vol bewustzijn komen. Op de tweede tel zal ik mij ontspannen voelen. Op de derde tel word ik volkomen ontspannen wakker en ben klaar voor een herstellende slaap.' Tel dan tot drie, open uw ogen, strek u uit, haal diep en lang adem, en ga heerlijk slapen.

Homeopathische middelen

Homeopathie is gebaseerd op het principe 'het gelijkende wordt door het gelijkende genezen'. Er wordt, in zeer kleine hoeveelheden, een geneesmiddel aangewend dat bij een gezonde persoon de symptomen van diezelfde ziekte zou oproepen, in de overtuiging dat geen twee dezelfde ziekten tegelijkertijd in één lichaam kunnen huizen. Door een onschadelijke kopie van de ziekte te introduceren kan die de originele ziekte verdrijven en zelf uitsterven.

De genezende stof wordt zo sterk verdund dat er geen aanwijsbaar spoor van overblijft. Homeopathische middelen werken niet langs chemische weg, maar houden, naar men zegt, het trillings- of energetisch patroon van de originele stof vast en dat is wat de van nature aanwezige helende, 'vitale' kracht in de patiënt zelf stimuleert.

Professionele homeopaten schrijven in het algemeen geen middelen voor waarmee op zichzelf staande symptomen behandeld worden, aangezien deze slechts worden gezien als een teken dat de vitale kracht zich al inspant de ziekte te overwinnen. In plaats daarvan wordt een geneesmiddel voor de persoon als geheel voorgeschreven. Accurate diagnose en voorschrijven van het juiste geneesmiddel is dus van essentieel belang. En hoewel de kans op het goede geneesmiddel natuurlijk veel groter is wanneer u een gekwalificeerd homeopaat consulteert, kunt u voor kleinere problemen ook proberen zelf een middel te vinden. Bij het kiezen van dit middel zult u zo'n zes à zeven mogelijkheden hebben; het gaat er dus om uit deze mogelijkheden de juiste te kiezen. De tabel op bladzijde 144-145 geeft een serie slaapproblemen met bijbehorende symptomen met daarbij de mogelijke behandelingswijzen. Kies sterkte 6c, ieder halfuur in te nemen, voor een acuut probleem of één maal daags voor al langer bestaande verschijnselen. Houd de behandeling twee tot drie weken vol. Als er binnen die tijd geen verbetering optreedt, stop dan met dat middel en probeer een ander

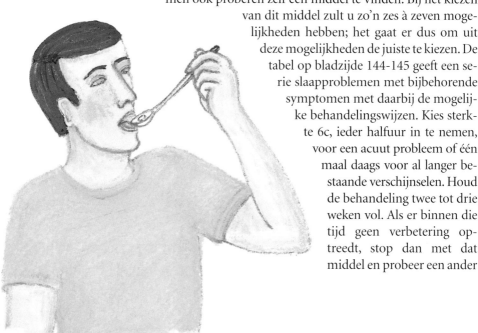

In het bijzonder geschikt voor

Mensen die zichzelf goed kennen of geïnteresseerd zijn in het gedetailleerd genezingsproces van het individu.

of ga naar een gekwalificeerd homeopaat.

Homeopathische middelen zullen de werking van een orthodoxe medische behandeling niet verstoren, hoewel sommige geneesmiddelen de werking van homeopathische middelen ongunstig zullen beïnvloeden. Sterke geuren hebben ook een ongunstige werking, en dat is de reden dat sommige geneeskundigen het gebruik van aromatische oliën in combinatie met homeopathische middelen afraden.

Het gebruik

Homeopathische middelen zijn in de apotheek, bij de drogist of in de reformwinkel verkrijgbaar. Zij zijn er in tablet-, korrel-, poeder- of in vloeibare vorm. Het middel moet met 'schone mond' genomen worden, dat wil zeggen dat er minstens een halfuur tussen inname van het geneesmiddel en eten, drinken, tanden poetsen of roken moet zitten. Neem slechts één geneesmiddel per keer en probeer de tabletten niet aan te raken. Druk een pil op een theelepel, duw hem onder uw tong en laat hem zo oplossen. Druk voor baby's de pil op een lepel kapot. Bewaar homeopathische middelen op een koele, donkere plek en houd ze uit de buurt van sterk geurende stoffen.

Het gebruik van de homeopathische geneesmiddelenwijzer

Een geneesmiddelenprofiel beschrijft vele aspecten van de gezondheid en de lichamelijke constitutie van het individu. Let op uw meest karakteristieke symptomen en maak een lijstje van alle remedies die daarvoor gegeven worden. Kijk dan naar uw secundaire verschijnselen en maak een 'voorkeurslijstje' van de middelen die op uw symptomen en constitutie van toepassing zijn. Om de keuze in te perken, bestudeert u de kolommen 'wordt beter' en 'wordt erger'.

Het kan zijn dat één geneesmiddel er duidelijk uitspringt, maar het is ook mogelijk dat u niet in staat bent uit twee mogelijkheden te kiezen. In dat geval dient u een van de twee een paar dagen te gebruiken, en als u niet beter gaat slapen, probeert u het andere middel.

Voorzorgsmaatregelen
Homeopathische middelen zijn volkomen veilig en kunnen ook bij baby's fantastisch goed werken, maar net als bij andere medicijnen, dient u er op verantwoorde wijze mee om te gaan en moet u geen middel blijven innemen dat niet werkt.

Homeopathische geneesmiddelenwijzer

VOORNAAMSTE SYMPTOMEN	ANDERE SYMPTOMEN	WORDT BETER	WORDT ERGER	MIDDEL
Acute slapeloosheid, veroorzaakt door shock, hevige schrik, slecht nieuws of verdriet.	Angst, bezorgdheid, rusteloosheid. Misschien opgewekt door nachtmerries.	Bij frisse lucht, in een koele kamer.	's Nachts, in een warme, bedompte kamer, bij rook, bij (te) zwaar dek op het bed.	Akoniet
Wakker worden tussen 1 en 3 uur in de ochtend vanwege angst of een overactieve geest.	Overdag slaperig, 's nachts gespannen. Rusteloos met angstige dromen en nachtmerries.	Bij warmte, warme drankjes, heen en weer bewegen en met een steuntje in bed liggen.	Bij kou en eenzaamheid, alcoholgebruik.	Arsenicum album
Nachtmerries, rond 3, 4 uur 's ochtends helder en vrolijk wakker worden en pas weer vlak voor het opstaan inslapen.	Slapeloosheid door prikkelbaarheid, overwerken of laat werken. Slaap gemakkelijk gestoord door licht en geluid. Slaperig in de avond en na het eten.	Bij warmte, 's avonds, en mogelijkheid tot alleen zijn.	Bij alcoholgebruik, na te veel, vooral gekruid, eten, lawaai, gebrek aan slaap.	Nux vomica
Slapeloosheid door shock, emotionele spanning, verdriet.	Schokkende ledematen bij het in slaap vallen. Stemmingswisselingen, geen dorst, dromen met opgekropte woede en spanning.	Bij afleiding.	Na koffie en alcohol, bij koude of frisse lucht. Sterk verlangen naar zoetigheid, waardoor symptomen slechts erger worden.	Ignatia
's Nachts wakker schrikken of wakker worden met een ellendig gevoel in de maag. Veroorzaakt door opwinding of geestelijke druk.	Spanning, snel geïrriteerd zijn, en spiermoeheid. Uitgeput door spanning of te hard werken.	Bij warmte en lichte lichaamsbeweging, na het eten.	Bij inspanning, opwinding of zorgen, in de winter, bij kou, tussen 3-5 's ochtends.	Kali phos
Te vroeg ontwaken met een overactieve geest en/of telkens terugkerende gedachten.	Spannende of levendige dromen, nachtelijk zweten. Gooit dekbed van zich af, te warm, maar even later weer te koud.	In een koele kamer met frisse lucht, lichte bezigheden overdag, koele dranken en genegenheid.	's Avonds, in een bedompte kamer, bij kou of stilzitten.	Pulsatilla
Moeite met in slaap vallen. Vroeg, onverkwikt wakker worden. Uitgeput en gedeprimeerd door te hard werken en geestelijke spanningen.	Overdag prikkelbaar en slaperig. Hoofdpijnen, misselijkheid, en duizeligheid door vermoeidheid. Nachtelijk zweten.	Bij een regelmatig dutje, flinke lichaamsbeweging, frisse lucht en een warm bed.	Bij gebrek aan lichamelijke activiteit, emotionele spanning, vlak voor de menstruatie, bij storm of slecht weer.	Sepia
Niet in staat te ontspannen door te grote opwinding door goed nieuws of ideeën.	Levendige dromen, overactieve geest, te grote opwinding.	Door in een warme kamer te gaan liggen.	Bij kou of frisse lucht, slaappillen, stimulerende middelen, lawaai, te veel opwinding.	Coffea

VOORNAAMSTE SYMPTOMEN	ANDERE SYMPTOMEN	WORDT BETER	WORDT ERGER	MIDDEL
In bed plassen tijdens dromen	Onvolgroeidheid van het zenuwstelsel	Na een dutje, liggend op de rug.	Bij beweging, druk of aanraking, en bij ligging op de rechter zijde.	**Equisetum**
In bed plassen tijdens het eerste deel van de nacht.	Overgevoelig kind, snel in de war en in tranen. Bang voor het donker. Sterk gevoel voor rechtvaardigheid.	In een warm bed.	In de winter.	**Causticum**
Bij het geringste geluid wakker en moeite weer in slaap te vallen. Heeft het warm, ledematen steken buiten de dekens.	Blijft wakker door een overvloed aan invallen. Levendige nachtmerries, verstoorde, niet-verkwikkende slaap, wordt vroeg wakker en slaapt daarna te lang door.	Bij korte dutjes, bij ligging op de rechterzij.	Bij het ontwaken 's ochtends en 's nachts, in een bedompte kamer of in een warm bed. Bij gebruik van opwekkende middelen.	**Sulphur**
Slaapproblemen tijdens de menopauze. Gevoel te stikken of alsof het bed schommelt bij het inslapen.	Angst voor het naar bed gaan vanwege het plotseling wakker worden en het gevoel te schommelen. Neiging de adem in te houden bij het in slaap vallen. Nachtelijk zweten. Onwel en gespannen wakker worden.	Bij frisse lucht en als de menstruatie begint.	In een warme, benauwde kamer, bij het ontwaken, bij te nauwe kleding.	**Lachesis**
Te vroeg en onverkwikt wakker worden vlak voor de normale tijd.	Pijn op de plekken waarop gelegen is, het koud hebben, praten in de slaap, angstige dromen, hoofdpijn door stress.	Bij rekoefeningen en massage.	's Nachts. Bij vocht en kou, en na opwekkende middelen.	**Thuja**
Prikkelbare baby die zich niet laat kalmeren. Slapeloosheid door tanden krijgen, boosheid of kolieken.	Kreunen in de slaap, ogen halfopen tijdens de slaap.	Bij warm, vochtig weer, als hij gedragen wordt of in de auto.	Na 9 uur 's avonds, na het boeren, in koud, winderig weer, bij te grote warmte.	**Chamomilla**
Moeite met opstaan, wakker worden vóór middernacht. Tanden krijgen pijnlijk bij rusteloze baby's.	Gespannen, prikkelbaar, traag, en rusteloos. Een hekel aan routine. Baby's die schreeuwen in de slaap en veel aandacht nodig hebben.	Bij kou, vocht, tocht, frisse lucht, zorgen, verdriet of inspanning.	In de zomer en bij droog, warm weer.	**Calcerea phosphorica**

Kruidenremedies

In de kruidengeneeskunde worden planten, bloemen, bomen en kruiden met helende eigenschappen gebruikt om onze, van nature aanwezige, helende krachten te versterken. Professionele kruidengeneeskundigen schrijven niet eenvoudigweg wat kruiden voor bij het behandelen van slapeloosheid, maar streven ernaar het gebrek aan evenwicht in het lichaam waardoor de symptomen veroorzaakt zijn, te verhelpen. Kalmerende kruiden als hop en valeriaan worden aangewend om het zenuwstelsel tot kalmte te brengen zodat u van een natuurlijke, herstellende nachtrust kunt genieten. Ieder kruid bevat een verscheidenheid aan actieve bestanddelen en heeft een hoofdwerking en verschillende aanvullende werkingen die de desbetreffende kwaal aanpakken.

Er zijn verschillende slaapverwekkende kruiden. U kunt deze in allerlei vormen zonder recept verkrijgen of de gedroogde kruiden zelf kopen en uw eigen aftreksels maken om ze al dan niet voor het slapengaan in uw bad te doen. Om een geschikt kruidengeneesmiddel voor uw slapeloosheid te vinden, is het aan te raden een professionele kruidengeneeskundige te consulteren, die zijn of haar aanbevelingen zal baseren op uw persoonlijke geschiedenis en uw symptomen. Een andere mogelijkheid is, uw eigen keuze uit de tabel op bladzijde 148-149 te maken.

Het maken van een kruidenthee

Gebruik voor het maken van een kruidenaftreksel altijd verse of gedroogde bloemen, bladeren of de groene stengels van de planten. Voeg ongeveer 28 gram gedroogde kruiden aan 600 ml kokend water toe. Doe er een deksel op en laat het 10 tot 15 minuten trekken. Zeven en warm opdrinken.

Bij verse kruiden neemt u ongeveer een handjevol van het desbetreffende kruid; al naar gelang van uw smaak kunt u het sterker of minder sterk maken. U kunt de thee eventueel zoeten met honing. Hitte vernietigt de eigenschappen van valeriaanwortel, dus die moet u 12 uur lang in koud water laten trekken.

Afkooksels zijn ongeveer gelijk aan aftreksels maar deze methode is alleen geschikt voor de harde, houtachtige delen van planten. Hiervoor gebruikt u 28 gram van het kruid op 750 ml water; doe kruid en water in een steelpan, breng aan de kook, laat 10 minuten zachtjes trekken, zeef en drink het warm op.

Neem bij inwendig gebruik de helft van de dosis kruiden als u een aftreksel voor kinderen jonger dan vijf jaar maakt, en ongeveer een vierde voor kinderen onder de twaalf.

Hoeveel en wanneer

Tegen slapeloosheid neemt u 's avonds een of twee koppen van een aftreksel of extract, ongeveer 30 tot 60 minuten voor u naar bed gaat. Mocht u 's nachts wakker worden, dan kunt u nog een kopje nemen. Als het een middel is dat u niet slaperig maakt ondanks dat het voor de behandeling van slapeloosheid bedoeld is, kunt u het drie keer per dag nemen.

Het gebruik van de kruidengeneeswijzer

Gebruik de tabel op de bladzijden 148 en 149 om het kruidengeneesmiddel te vinden dat op uw probleem van toepassing is, maar let ook op eventuele andere symptomen bij uzelf. U kunt één enkel kruidengeneesmiddel nemen of het combineren met een ander kruid met een aanvullende werking. Ieder kruid dat via de mond ingenomen kan worden kan ook in het bad worden gebruikt, al dan niet met andere kruiden of etherische oliën.

In het bijzonder geschikt voor

Degenen die bereid zijn de middelen regelmatig in te nemen en dan niet onmiddellijk resultaat verwachten. Kruidengeneesmiddelen zijn vooral geschikt voor mensen die het een plezierig ritueel vinden om 's avonds een aftreksel te maken en daar ook de tijd voor hebben.

Uitwendig gebruik

Het nemen van een kruidenbad is een prettige manier om kruiden te gebruiken bij slaapmoeilijkheden. De ontspannende en verwarmende werking van het warme water doet volledig recht aan de kalmerende eigenschappen van de kruiden. Hiervoor gebruikt u aftreksels. Voeg één liter van een gezeefd kruidenaftreksel of afkooksel, dat een halfuur getrokken heeft, aan uw badwater toe of bind een handvol kruiden in een katoenen zakje en hang het aan de kraan zodat het water er doorheen loopt.

De hitte van het water zorgt ervoor dat de geur en de eigenschappen van de kruiden vrijkomen; bovendien worden de poriën van uw huid geopend. De ingeademde geur gaat via het zenuwgestel naar de hersenen, terwijl de eigenschappen van de kruiden die door de huid worden opgenomen in de bloedbaan terechtkomen. Het gevolg is dat zowel lichaam als geest er baat bij heeft.

Kruidengeneeswijzer

KRUID	EIGENSCHAPPEN	HELPT BIJ	GEBRUIK	VOORZORGSMAATREGELEN
Balsemwortelkruid	Kalmeert het spijsver-teringssysteem, ver-laagt de bloeddruk, en verlicht krampen.	Angst, depressie, spijsverteringskram-pen, stress.	Via de mond In het bad	Bij gebruik als voor-geschreven geen risi-co's bekend.
Glidkruid *Scutellaria lateriflora*	Ontspannend zenuw-tonicum, krampver-lichtend.	Slapeloosheid door ner-veuze spanningen, pre-menstrueel syndroom, uitputting, depressie, hysterie, stress.	Via de mond In het bad	Een krachtig middel; overschrijd de aanbe-volen dosis niet.
Haver *Avena sativa*	Uitstekend tonicum voor de zenuwen, an-tidepressief, voe-dend.	Stress, uitputting, al-gehele zwakte of ziekte, jetlag. Bij ont-wenning van tran-quillizers of slaap-middelen.	Via de mond (als pap) In het bad	Bij gebruik als voor-geschreven geen risi-co's bekend.
Hop *Humulus lupulus*	Ontspannend, slaap-bevorderend en anti-septisch.	Slapeloosheid in het algemeen, bij span-ningen of zorgen, rusteloosheid, indi-gestie of hoofdpijn.	Via de mond In het bad	Ontraden bij depres-sie. Niet tijdens de eerste drie maanden van de zwangerschap.
Kamille *Chamaemelum nobile*	Ontspannend, kal-meert de spijsverte-ring, verlicht kram-pen, pijnen en is antiseptisch, helende werking bij wonden.	Zachtaardig middel, geschikt voor kinderen. Goed bij zenuwachtig-heid, indigestie, ont-stekingen en slijmvlies-ontsteking.	Via de mond In het bad	Bij gebruik als voor-geschreven geen risi-co's bekend.
Kornoelje *Cornus officinalis*	Kalmerend, pijnver-lichtend, brengt 'ma-lende' gedachten tot rust.	Slapeloosheid door nerveuze spanning, pijn of menstruatie-pijn.	Via de mond In het bad	Dit is een krachtig middel, houdt u aan de voorgeschreven dosis.
Papaver	Slaapbevorderend, pijnverlichtend, rust-gevend.	Slapeloosheid tijdens de menopauze, prik-kelbare kinderen die niet kunnen slapen, bij zorgen.	Via de mond In het bad	Bij gebruik als voor-geschreven geen risi-co's bekend.
Passiebloem *Passiflora*	Kalmerend en slaap-bevorderend, verlicht pijn en spierkrampen.	Slapeloosheid in het algemeen, slapeloos-heid bij astma, hyste-rie, krampen en ze-nuwpijn.	Via de mond In het bad	Bij gebruik als voor-geschreven geen risi-co's bekend.

KRUID	EIGENSCHAPPEN	HELPT BIJ	GEBRUIK	VOORZORGSMAATREGELEN
Slakruiden	Ontspannend, slaap-bevorderend, bij pijn en destructieve ge-voelens.	Slapeloosheid met rus-teloosheid en prikkel-baarheid. Geschikt voor overactieve kin-deren, verlicht spier-pijn, pijnlijke men-struatie, darmkrampen en prikkelhoest.	Via de mond In het bad	Bij gebruik als voor-geschreven geen risi-co's bekend.
Sintjanskruid *Hypericum perforatum*	Kalmerend, pijnver-lichtend, verbetert de kwaliteit van de slaap.	Depressie, angsten, spanning, slapeloos-heid en verhoogde slaapbehoefte, emo-tionele verwarring tijdens menopauze.	Via de mond In het bad	Langdurig gebruik kan gevoeligheid voor zonlicht verho-gen.
Valeriaan *Valeriana officinalis*	Ontspannend, slaap-bevorderend, verlicht krampen, kalmeert de spijsvertering en ver-laagt de bloeddruk.	Ernstige slapeloos-heid en slapeloosheid bij pijn, krampen, pijn in de ingewan-den, winderigheid, menstruatiepijn, spanning, zorgen, opgewondenheid.	Via de mond In het bad	Is niet voor iedereen geschikt. Kan soms opgewondenheid ver-oorzaken. Houd u aan de voorgeschreven dosis.

Waarschuwing

Bij juist gebruik zijn kruidengeneesmiddelen in het algemeen veilig. Gebruik geen van de middelen onnodig, in grotere doses dan aangegeven of voor een on-nodig lange periode. Zwangere vrouwen, en ouders van baby's die een behande-ling behoeven wordt aangeraden een professionele kruidengeneeskundige te consulteren en niet zelf te gaan 'dokteren'. Als u een kruidengeneesmiddel in combinatie met een conventioneel medicijn wilt gebruiken, doet u er goed aan zowel uw huisarts als een kruidengeneeskundige te raadplegen.

Bloesemtherapie

Bij bloesemtherapie worden zachtaardige geneesmiddelen gebruikt die de 'energie' of energetische afdruk van een bepaalde plant heten te bevatten. Men gelooft dat de middelen op een bepaald trillingsniveau binnen het lichaam werken. De vibraties van ons energiepatroon kunnen door stress, door emotionele oorzaken, of door voedings- of omgevingsfactoren uit balans raken. Dit gebrek aan evenwicht kan leiden tot symptomen als hoofdpijn, indigestie, spierspanning, snurken en slapeloosheid. Ieder bloesemgeneesmiddel wordt geacht met een bepaalde frequentie te vibreren en deze eigenschap kan aangewend worden om de balans in ons eigen energiesysteem te herstellen. Er zijn honderden bloesemessences uit Europa, Amerika, Australië en Azië. De bloesemgeneesmiddelen die dr. Edward Bach meer dan 60 jaar geleden ontdekte zijn misschien wel de bekendste.

Hoe gebruikt u bloesemtherapie?

Bloesemgeneesmiddelen kunt u op iedere manier en op ieder tijdstip gebruiken. Er is geen voorbereiding voor nodig, ze hebben een prettige smaak en geven geen gevaarlijke bijverschijnselen. Neem het middel door ten minste vier keer per dag vier druppels op de tong te laten vallen of al naar gelang van de behoefte. U kunt het ook in niet-bruisend bronwater doen.

Gebruik van de bloesemtherapiewijzer

Om het voor u geschikte middel te vinden, kijkt u allereerst naar de kolom 'Geschikt voor'. Kijk wat overeenkomt met uw probleem of type persoonlijkheid en zoek het daartoe aanbevolen middel op. Ze zijn alle veilig in het gebruik.

Veel middelen worden door meer dan een fabrikant gemaakt en zijn overal verkrijgbaar. Andere zijn slechts van één fabrikant afkomstig en zijn wellicht minder gemakkelijk te vinden. Een aantal fabrikanten maakt speciale combinaties van middelen die gericht zijn op slaapproblemen. Die staan niet in deze tabel. Verwar de bloesemremedies niet met aromatische oliën of kruidenpreparaten met dezelfde naam.

In het bijzonder geschikt voor

Vele varianten van slaapproblemen, maar vooral geschikt voor die met een psychologische of spirituele oorzaak. Ze zijn zeer zachtaardig en geschikt voor mensen van alle leeftijden. Zij zijn niet van invloed op andere behandelingswijzen.

Bloesemtherapiewijzer

MIDDEL	GESCHIKT VOOR
Banksia robur	Voor dynamische mensen die tijdelijk uitgeput zijn door een jetlag.
Boronia	Voor mensen met verdriet, een gebroken hart, of die niet kunnen slapen vanwege obsessieve gedachten.
Dagschone	Voor mensen met onregelmatige slaapgewoonten die 's ochtends moeite hebben met opstaan en voor mensen bij wie de slaap verstoord wordt door het gebruik van opwekkende middelen en slaappillen.
Dille	Goed bij jetlag en in tijden van stress of te veel prikkels. Bij jetlag ook voor kinderen.
Esp	Voor mensen bij wie vage, irrationele angsten tot nachtelijk zweten, slaapwandelen en praten in de slaap leiden.
Kamille	Voor humeurige, snel opgewonden of boze mensen, die moeite hebben te kalmeren. Geschikt voor hyperactieve kinderen en voor mensen met een stressgevoelige spijsvertering.
Sla	Voor mensen die rusteloos of prikkelbaar zijn en moeite hebben zich te concentreren.
Spinnenorchidee	Bij nachtmerries en plotseling wakker schrikken.
Suzanna met de zwarte ogen	Voor ongeduldige, ambitieuze types die altijd aan het rennen zijn. Ook voor hen die zich verzetten tegen verandering en inwendige bespiegeling, of verontrustende herinneringen en die emoties onderdrukken.
Valeriaan	Voor hen die 's nachts rusteloos zijn en niet kunnen slapen door pijn of stress. Ook bij uitputting en herstel van ziekte.
Verbena	Voor opgewonden en overactieve types. Alleen vlak voor het slapengaan innemen.
Violier	Voor gespannen, nerveuze, hyperactieve mensen die afhankelijk zijn van opwekkende middelen en aan heftige stemmingswisselingen en uitputting lijden.
IJzerhard	Voor gespannen mensen die door opgewondenheid niet kunnen slapen.
Walnoot	Voor degenen die moeite hebben te accepteren dat wij bij het ouder worden minder slaap nodig hebben.
Witte kastanje	Voor mensen die in de geest maar dóór blijven praten en die gesprekken of onenigheid maar niet van zich af kunnen zetten.
Ylang ylang olie (kananga olie)	Bij jetlag en slapeloosheid door stress of emotionele verwarring.
Zonneroosje	Bij nachtmerries door een shock of ongeluk.

Aromatherapie

'Aromatherapie', zo heet het therapeutisch gebruik van etherische oliën. Dat zijn de gedistilleerde aromatische extracten van planten en bloemen. Etherische oliën worden gemakkelijk ingeademd of door de huid opgenomen. Eenmaal in het lichaam worden zij door de bloedstroom het systeem en de hersenen binnengebracht, waar zij hun heilzame invloed op lichaam en geest uitoefenen. Alle kwalen die met stress te maken hebben, slapeloosheid niet uitgezonderd, reageren goed op een behandeling met aromatherapie. Twee of drie oliën kunnen samengevoegd worden om de diverse eigenschappen te combineren. Breng nooit onverdunde olie op de huid aan en gebruik de olie nooit inwendig.

Gebruik van etherische oliën

Massage is waarschijnlijk de meest doeltreffende manier waarop etherische oliën gebruikt kunnen worden. De combinatie van de kalmerende aanraking en de therapeutische werking van de oliën doet alle lichamelijke en geestelijke spanning wegebben. Het nadeel is dat u iemand nodig heeft die u masseert, dus als u geen partner heeft die dat kan en wil, moet u naar een professionele aromatherapeut. De werking houdt urenlang aan, dus als u in de namiddag gemasseerd bent zal de behandeling u toch helpen in slaap te vallen.

Voor toepassing op de huid moet de etherische olie met een plantaardige olie verdund worden, bijvoorbeeld koudgeperste olijfolie of zoete amandelolie. Neem 7 tot 10 druppels etherische olie op 25 ml (vijf theelepels) olie voor volwassenen, de helft daarvan voor kinderen onder de zeven jaar en daar weer de helft van voor kinderen jonger dan drie jaar. Bij pasgeboren baby's kunt u beter geen etherische oliën gebruiken.

In het bad kunt u iedere soort olie gebruiken; doe er voor een volwassene 5-10 druppels bij, de helft daarvan voor kinderen boven de twee en slechts één druppel van een heel zachte olie als kamille of lavendel voor nog jongere kinderen. Inademen heeft ook een goed effect. Doe een of twee druppels van een ontspannende olie op een zakdoek en stop die in uw kussensloop, het zal u helpen in te slapen.

In het bijzonder geschikt voor

De meeste mensen hebben baat bij aromatherapie. Wees alleen extra voorzichtig met baby's, kleuters en tijdens de zwangerschap. Als u een allergie hebt of een chronisch medisch probleem zoals epilepsie, eczeem of verhoogde bloeddruk, kunt u beter een gekwalificeerd therapeut in de arm nemen.

Aromatherapiewijzer

ETHERISCHE OLIE	EIGENSCHAPPEN	GEBRUIK BIJ	VOORZORGSMAATREGELEN
Benzoë *Styrax benzoin*	Kalmerend, verwarmend, ontspannend.	Slapeloosheid door zorgen, emotionele uitputting, spanning, bronchitis en hoest.	Sommige mensen kunnen gevoelig reageren op deze olie.
Salie *Salvia sclarea*	Warmt en ontspant, verlaagt de bloeddruk, kalmeert de zenuwen, werkt als afrodisiacum.	Depressie, hoofdpijn, spijsverteringskrampen, astma, hoge bloeddruk, menopauze.	Hierbij geen alcohol gebruiken.
Reukloze kamille (moederkruid) en **Roomse kamille** *Matricaria chamomilla* en *Chamaemele nobile*	Kalmeert zenuwen en maag, slaapverwekkend, vooral geschikt voor kinderen.	Slapeloosheid, angsten.	Kan huidontsteking veroorzaken.
Jasmijn *Jasminum officinalis*	Kalmerend en ontspannend, antidepressief, rustgevend, als afrodisiacum, slijmoplossend.	Slapeloosheid, depressie, apathie, nerveuze uitputting, stress, slijmvliesontsteking, ademhalingsmoeilijkheden.	Niet toxisch, niet irriterend.
Lavendel *Lavendula officinalis*	Kalmerend, brengt zenuwen en spijsvertering tot rust, antidepressief, pijnverlichtend, verlaagt de bloeddruk.	Slapeloosheid, spanning, depressie, hoofdpijn, slijmvliesontsteking, maagkrampen, shock, oorpijn.	Niet toxisch, niet irriterend.
Melisse *Melissa officinalis*	Opwekkend en ontspannend, verlaagt de bloeddruk, goed voor de spijsvertering, de menstruatie en het zenuwstelsel.	Slapeloosheid, nerveuze spanning, depressie, verhoogde bloeddruk, indigestie, hoest, verkoudheid, shock, angst.	In kleine hoeveelheden gebruiken aangezien de huid geïrriteerd kan raken.
Neroli (oranjebloesemolie) *Citrus aurantium amara*	Zeer ontspannend.	Slapeloosheid door spanning, depressie, prikkelbaarheid, paniek, shock.	Niet toxisch, niet irriterend.
Roos *Rosa damascena*	Ontspant, kalmeert, afrodisiacum, tonicum voor zenuwen en spijsvertering, helpt bij menstruatie.	Slapeloosheid, zenuwspanning, depressie, hoofdpijn, pijnlijke menstruatie, misselijkheid, astma, weinig zin in seks.	Niet toxisch, niet irriterend.
Sandelhout *Santalum album*	Ontspannend, werkt als afrodisiacum en tegen depressie, slijmoplossend, kalmeert de spijsvertering.	Slapeloosheid, depressie, nerveuze spanning, slijmvliesontsteking, kolieken.	Niet toxisch, niet irriterend.
Marjolein *Origanum marjorana*	Verwarmend en behaaglijk, rustgevend, helpt de spijsvertering en de functies van het zenuwstelsel.	Slapeloosheid, angst, verkoudheid, slijmvliesontsteking, krampen in de ingewanden, pijn in spieren en gewrichten, hoofdpijn.	Niet toxisch, niet irriterend.
Ylang ylang *Cananga odorata genuia*	Ontspannend, afrodisiacum, antidepressief, verzacht het zenuwstelsel, bloeddrukverlagend.	Slapeloosheid, depressie, stress, nerveuze spanning, prikkelbaarheid.	Niet toxisch, niet irriterend.

Reflexologie

Reflexologie is een soort therapeutische voetmassage en wordt gebruikt om vele soorten ziekten, waaronder kwalen die met stress te maken hebben en problemen die uit verstopping voortvloeien, te verlichten en te voorkomen. Zij die de reflexologie beoefenen menen dat ieder deel van het lichaam gereflecteerd wordt in reflexgebieden op handen en voeten. Het hoofd en de nek bijvoorbeeld, hebben hun reflectie in de tenen, het bekken wordt weerkaatst in de hielen, en de reflexgebieden van de rugwervels volgen de binnenholte van iedere voet. Reflexologen zijn ook van mening dat het lichaam in tien verticale zones of energiebanen verdeeld is, die van het hoofd af door het lichaam naar beneden lopen en weer te voorschijn komen op de reflexgebieden op han-

In het bijzonder geschikt voor

Iedereen kan baat hebben bij reflexologie, maar deze is in het bijzonder geschikt voor mensen die ervan houden aangeraakt te worden, vooral aan de voeten. Als u dit niet prettig vindt of als u er een schimmel- of andere infectie hebt, kunt u uw handen (laten) behandelen.

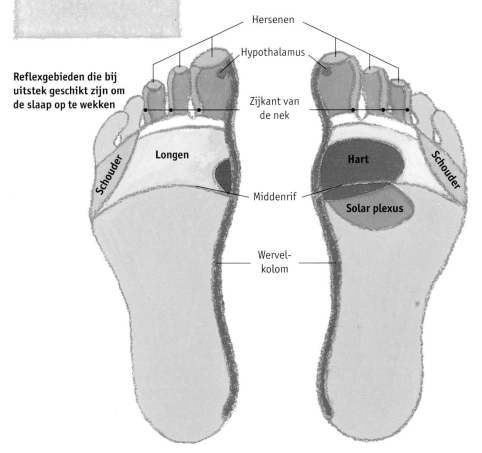

Hersenen

Hypothalamus

Reflexgebieden die bij uitstek geschikt zijn om de slaap op te wekken

Zijkant van de nek

Schouder

Longen

Hart

Schouder

Middenrif

Solar plexus

Wervel-kolom

den en voeten. Alle lichaamsdelen die onder een zone vallen worden door dezelfde energie bijeengehouden.

Door op specifieke punten druk uit te oefenen met vinger en duim kan de therapeut de energie in de desbetreffende zone stimuleren of herstellen en zo het welbevinden van de daarmee verbonden lichaamsdelen beïnvloeden. De behandeling is erop gericht de eigen helende kracht van het lichaam aan te spreken en niet zozeer op snelle genezing van een bepaalde kwaal.

Reflexologie als hulpmiddel bij een goede nachtrust

Voetmassage kan zeer rustgevend zijn, het werkt al als u het bij uzelf toepast maar is vooral effectief als iemand anders u masseert. Zachtjes de voetjes van een lastige baby masseren kan het kind al kalmeren. Begin iedere behandeling door zachtjes de voeten te masseren. Beweeg langzaam en ritmisch als u met de reflexgebieden bezig bent. Bewerk ieder gebied enige keren achter elkaar en houd de druk op een bepaald punt ongeveer 30 seconden aan. Geef speciale aandacht aan de reflectiepunten voor slapeloosheid, waaronder de reflexen voor de hersenen, zonnevlecht (solar plexus), wervelkolom, ademhalingsapparaat en bloedcirculatie (zie de bladzijde hiernaast).

Voorzorgsmaatregelen

Het zelf toepassen van reflexologie wordt ontraden in geval van zwangerschap, bij diabetici, epileptici en bij ieder die onder medische behandeling staat. Bij baby's en kleine kinderen dient u slechts zachtjes te masseren.

Als u bij uzelf reflexologie wilt toepassen

♦ Ga gemakkelijk zitten terwijl een blote voet op het andere been rust. Ondersteun uw voet met een hand en bewerk de reflexpunten met uw andere hand.

♦ Begin met het bewerken van de hele voet en richt dan vooral de aandacht op het gebied dat correspondeert met de hersenen en dat aan de bovenkant van uw grote teen zit, en daarna ook de bovenkant van de volgende twee tenen.

♦ Werk met uw duim vanaf het midden van de grote teen op de voetzool tot aan de bovenkant van uw teen. Herhaal dat twee of drie keer aan iedere voet.

♦ Haal diep adem als u druk uitoefent op het reflexpunt van de zonnevlecht net onder de bal van de voet. Adem uit wanneer u de druk weer loslaat. Doe dit drie of vier keer en u voelt zich ontspannen en slaperig worden.

♦ Ga met de duim langs de reflexgebieden van de wervelkolom aan de binnenholte van de voet om de spanning in de wervels, eventuele pijn en stijfheid te verlichten. Werk op elke voet twee of drie keer langs het hele reflexgebied van de wervelkolom.

♦ Om het ademhalingssysteem te ontspannen bewerkt u de voetzool vanaf de basis van de middenriflijn tot de basislijn van de tenen. Met uw wijsvinger werkt u vanaf de bovenkant van de voet vanuit de gleufjes tussen de tenen naar de basis van het reflexgebied van de longen. Herhaal dit op de andere voet. Door dit stuk voet te bewerken, prikkelt u ook de reflexen van het hart die de bloedcirculatie regelen. Behandel dit gebied voorzichtig.

♦ Eindig met het zachtjes masseren van de hele voeten vanaf de tenen tot aan beide enkels.

Hulp bij slaapstoornissen

ZELFMEDICATIE

Bij incidentele slaapstoornissen kunt u advies vragen bij een uitgebreide apotheek of drogist. Daar beschikt men – naast de traditionele (in)slaapmiddelen die vrijwel uitsluitend op recept verkrijgbaar zijn – over een uitgebreid assortiment homeopathische en kruidengeneesmiddelen die slaapbevorderend werken.

HUISARTS

Bereikt u met zelfmedicatie niet het gewenste resultaat, dan kunt u zich het beste wenden tot uw huisarts. Deze zal samen met u de oorzaken van de slaapproblemen trachten op te sporen en deze zo nodig behandelen met slaapgeneesmiddelen of antidepressiva. De kosten van deze behandeling zullen vrijwel altijd door uw ziektekostenverzekeraar of ziekenfonds vergoed worden.

Eventueel zal uw huisarts u doorverwijzen naar het RIAGG of een alternatieve genezer.

RIAGG

Het RIAGG kan u voor uw slaapproblemen psychotherapeutische behandeling bieden of u doorverwijzen naar een van de universitaire slaaplaboratoria in Amsterdam, Leiden, Groningen, Utrecht, Maastricht of Rotterdam.

Wanneer u zich rechtstreeks (dus zonder tussenkomst van de huisarts) tot een psychotherapeut of alternatieve genezer wendt, zullen de kosten door uw verzekeraar of ziekenfonds veelal niet vergoed worden.

Bibliografie

The ABC of Sleep Disorders, Colin Shapiro (ed.) (BMJ Publishing).
Aromatherapy An A-Z, Patricia Davis (CW Daniel).
The BMA New Guide to Medicine and Drugs, Dr John Henry MB FRCP (Dorling Kindersley).
The Book of Ayurveda, Judith H. Morrison (Gaia Books).
Coming Off Tranquilisers and Sleeping Pills, Shirley Trickett (Thorsons).
Denise Linn's Pocketful of Dreams (Piatkus).
The Feng Shui Handbook, Master Lam Kam Chuen (Gaia Books).
Get a Better Night's Sleep, Prof. Ian Oswald & Dr Kirstine Adam (Martin Dunitz).
Homeopathy for Mother and Baby, Miranda Castro (Macmillan, Papermac).
The Illustrated Encyclopedia of Essential Oils, Julia Lawless (Element).
Insomnia, Anthony en Joyce Kales (OUP).
The Mammoth Dictionary of Symbols, Nadia Julien (Robinson).
Natural Childhood, John B. Thomson (Gaia Books).
The Natural House Book, David Pearson (Gaia Books).
Natural Sleep (How to get your share), Philip Goldberg & Daniel Kaufman (Rodale Press).
Natural Sleep, Anthea Courtney (Thorsons).
The Natural Way to Stop Snoring, Dr Elizabeth Scott (Orion).
The Power of your Dreams, Soozi Holbeche (Piatkus).
The Practice of Chinese Medicine, Giovanni Macioca (Churchill Livingston).
Principle and Practice of Sleep Medicine, William Dement, Meir Krieger en T. Roth (eds.) (Harcourt Brace & Co).
Restful Sleep, Deepak Chopra (Rider).
The Secret Language of Dreams, David Fontana (Pavilion).
Secrets of Sleep, Alexander Borbély (Longman).
Sleep (internationaal tijdschrift).
The Sleep Book for Tired Parents, R. Huntley (Souvenir Press).
Sleep and Dreaming, Jacob Empson (Harvester Wheatsheaf).
Sleep Without Drugs, Dr Moses Wong (Hill of Content).

Register

Dankbetuiging

De auteur zegt dank aan allen die werkzaam zijn bij Gaia, met name Cathy Meeus voor al haar inspanning, begeleiding en geduld; Dr Jacob Empson, Ronald C. Chisholm PhD voor hun deskundig advies; Margaret Ahmed van Sleep Matters en Greg Mader van de American Sleep Disorders Association voor de waardevolle informatie die zij aanreikten; Pippa Duncan voor haar hulp bij Deel Drie; yogaleraar Seema Khajuria voor de hulp bij het opzetten van het yoga-gedeelte in Deel Vier. Ten slotte: dank aan Mick voor zijn niet-aflatende liefde en steun.

Ook verschenen bij Tirion

Kruiden-geneesmiddelen zelf maken

Penelope Ody

gebonden

ƒ 49,50

ISBN 90 5121 603 3

Handboek heilzame kruiden

Penelope Ody

gebonden

ƒ 69,50

ISBN 90 5121 445 6